新世紀

第324号（2023年5月）

The Communist

JN113780

帝国主義打倒！
　スターリン主義打倒！
　　万国の労働者団結せよ！

2023年 5月　No.324　目次

〈プーチンの戦争〉を打ち砕け …… 4

ウクライナ反戦闘争の全世界への波及をかちとろう …… 10

ロシアの侵略を打ち砕け！　世界中で燃えあがる闘いの炎 …… 18

「大祖国戦争勝利」神話にすがりつくプーチン …… 瀧川　潤 25

◎日誌　ロシアの侵略とウクライナの戦い　この一年 …… 32

改憲・大軍拡を阻止せよ
〈プーチンの戦争〉を打ち砕け …… 中央学生組織委員会 34

分断と荒廃を露わにする落日の帝国アメリカ …… 辻堂　岳史 64

二三春闘の爆発をかちとれ

大幅一律賃上げ獲得！　政府・独占資本による物価値上げ反対！
二三春闘の戦闘的高揚をかちとろう …… 水田　育子 82
——2・5労働者怒りの総決起集会　第一基調報告

新世紀

日本革命的共産主義者同盟 革命的マルクス主義派 機関誌

改憲阻止！ 大軍拡反対！
反戦・反安保の闘いを！
――2・5労働者怒りの総決起集会 第二基調報告 …… 武山 毅 94
トヨタ・ホンダ経営陣の欺瞞的賃金回答弾劾！ …… 103
「自動車産業生き残り」のための労使協議への歪曲 …… 根本 省吾 106
電機二三春闘の戦闘的高揚をかちとろう …… 野咲 春佳 116

特集 3・11福島第一原発事故から十二年

原発の運転期間延長・新増設推進の閣議決定を弾劾せよ …… 127
軍事強国日本のエネルギー安保確立への突進 …… 田辺 敏男 130
危険極まる原発の運転期間延長 …… 桑野 進 138
志賀原発再稼働を策し「活断層認定」を否定 …… 笠舞 徹 143
放射能汚染水の海洋放出を許すな …… 147
福島に軍事技術開発拠点構築の策動 …… 浜風 通 150
東電福島第一原発「四十年廃炉」計画の破綻 …… 栗本 誠也 155
◈国際・国内の階級情勢と革命的左翼の闘いの記録（二〇二二年十二月～二〇二三年一月） 164

〈プーチンの戦争〉を打ち砕け
米—中露激突下の世界大戦勃発の危機を打ち破れ！

ロシアのウクライナ侵略開始一年に際して訴える

二〇二三年二月二十四日

二〇二三年二月二十四日——ロシアのウクライナ軍事侵略開始から一年のこの日にさいして、わが革共同革マル派は全世界の労働者・学生・人民に訴える。

ロシア権力者プーチンがいま強行しているウクライナ東部への、そしてウクライナ全土への悪逆無道な軍事攻撃・人民虐殺を断じて許すな！　いまこそ〈プーチンの戦争〉をうち砕く闘いの炎を全世界から断固として燃えあがらせよう！

二月二十一日の年次教書演説においてプーチンは、あろうことか、「戦争をはじめたのは西側だ。われわれはそれを止めようとした」などと破廉恥きわまりない弁明と居直りをやってのけた。この男は、二時間近くの演説のなかで「特別軍事作戦」なるものの現況についてはなにもふれることもできず、被害者づらをして「西側がロシアを攻撃している」などといった泣き言をくりかえしたのだ。

　プーチンのこの惨めな姿こそは、ウクライナ軍・労働者人民の勇猛果敢な反撃に直面して追いつめられた侵略者の断末魔にほかならない。

　いま、ウクライナ東部ドンバスの前線に投入されたロシア侵略軍にたいして、徹底抗戦の覚悟をうち固めているウクライナ人民は、ウクライナ軍や領土防衛隊の一員として、あるいはパルチザン戦士として長期にわたる死闘戦を勇敢にたたかいぬき都市を守りぬいている。

　この決死の戦いを敢行しているウクライナの労働者・人民と連帯して、この一年間をつうじて〈プーチンの戦争〉粉砕の闘いを全力で創造してきたのが、わが革マル派と全学連・そして革命的労働者なのである。

　侵略開始直後から日本の・そして世界の自称「左翼」や労働運動指導部が、「ＮＡＴＯの方が悪い」などと称して侵略者プーチンを擁護するという腐敗をさらけだしてきた。わが革命的左翼は、このような自称「左翼」・既成労働運動指導部の犯罪性を暴きだしのりこえ、日本全国の職場や学園からウクライナ反戦の闘いを雄々しく創造してきたのである。そして、わが革命的左翼が発してきたウクライナをはじめとする全世界人民への連帯の呼びかけは、海を越え国境を越えて着実に共感を呼び起こしひろがりつつある。

　すべてのたたかう労働者・学生・人民諸君！　いまこそ、侵略軍撃破・領土奪還のために身を賭して戦っているウクライナ労働者・人民と連帯して闘いに起ちあがれ！　プーチンによる強権的弾圧に抗してたたかうロシア労働者・人民と連帯してたたかおう！

東部―全土への総攻撃・大殺戮を弾劾せよ！

　プーチン政権はいま、新たに総司令官にすえたゲラシモフ（ロシア軍参謀総長）配下のロシア軍部隊を南北二五〇キロメートルにおよぶ前線に投入し、東部ドンバスへの総攻撃・人民大殺戮を強行している。

「三月末までにドネツク州・ルハンスク州全域をなんとしても制圧せよ」というプーチンの厳命をうけたロシア侵略軍は、ドネツク州の要衝バフムトを中心として空挺軍やワグネル部隊を総動員して突撃作戦を強行してきた。だがこれらの侵略部隊は、ウクライナ軍と領土防衛隊・そして人民が一体となった勇猛な反撃に直面して、累々たる戦死者の山を築いている。

東部戦線における侵略軍の惨状が露わになり、約一ヵ月後にはドイツ製のレオパルトをはじめとする新たな戦車がウクライナの前線に投入されはじめようとしているなかで、いよいよ焦燥感を募らせたプーチンは、「一周年までにバフムトを落とせ」とがなりたて、動員兵からワグネルの囚人部隊まであり とあらゆる兵士を〝人海戦術〟的に総攻撃に突進させているのだ。

東部二州だけではない。ロシア軍は、キーウ、リビウ、オデーサ、ドニプロなどの主要都市にミサイルを撃ちこみ、電力・水道などのライフライン、集合住宅、病院、学校を次々に破壊し住民に飢餓と凍死を強制している。制圧した諸都市においては、人民への拷問・大虐殺、女性への陵辱、子供の誘拐・連行など悪逆きわまりない蛮行を重ねているのだ。

プーチンは、「ウクライナ民族などはない。あの地域はもともとロシアの一部だ」などとうそぶきながら、ウクライナ国家を地上から抹殺することを狙って、この侵略戦争を強行した。それは、スターリンがおしひろげた旧ソ連邦の領土を「奪回」するためにほかならない。帝政ロシアとスターリニスト・ソ連邦とを重ねあわせた「大国ロシア」、その版図復活のために、この残忍きわまる民族抹殺・領土強奪戦争に狂奔しているのが、まさしく〝スターリンの末裔〟たるプーチンなのである。

戦うウクライナ労働者・人民と連帯してたたかおう!

プーチンの侵略軍の総攻撃にたいして、ウクライ

首都に轟く「ウクライナ反戦」の雄叫び（2月24日）

ナ軍・領土防衛隊と労働者人民はいま、うって一丸となって拠点都市を死守するために戦いぬいている。

　三方をロシア軍に囲まれたバフムトでは、武器や弾薬の不足に耐えながら、「侵略軍を撃退するまで戦う」という固い決意のもとに、ウクライナ軍と労働者人民は、ロシア軍の空と地上からの執拗な攻撃をはね返す決死の戦いを継続している。

　いま、戦車・戦闘機・弾薬の援助を求めているウクライナのゼレンスキー政権にたいして、欧米の権力者どもは、「ウクライナ支援」を掲げている。だが彼らは、「プーチンを勝たせてはならないが、プーチンの体制を崩壊させてもならない」（仏大統領マクロン）などとうそぶいている。しかも、プーチンによる天然ガスや食糧の供給削減という〝逆制裁〟をまえにして、狂乱的な物価高騰に見舞われている各国においては、権力者の内部においてしだいに「支援縮小」の声が高まっているのだ。

　そして、「停戦と対話」なるものを吹聴し〝仲裁者〟づらをしているネオ・スターリン主義中国の習近平政権は、水面下ではロシアに兵器や半導体を提供することを画策している。

こうした現実のなかで、〈プーチンの戦争〉を粉砕する全世界の労働者・人民の巨大な力を創造することこそが急務なのだ。全世界の労働者・人民は、ロシア侵略軍を叩き出すために身を賭して戦っているウクライナ人民を全力で支援せよ！

ウクライナ反戦闘争の巨大な奔流をつくりだせ！

すべての労働者・学生諸君！　一年間にわたってプーチンによる世紀の大虐殺が強行されてきたにもかかわらず、〈プーチンの戦争〉をうち砕く全世界の労働者・人民の闘いはなお強力につくりだされてはいない。それは、「プーチンを追いつめたNATOが悪い」とか「どっちもどっちだ」とかと平然と唱えてきた多くの自称「左翼」の腐敗のゆえだ。

見よ。日本共産党の志位指導部は、「ロシアのウクライナ侵略反対」の闘いの創造を完全に放棄しているではないか。彼らは、「国連のもとでの話し合い解決を」などと口先でつぶやいているだけだ。

わが反スターリン主義革命的左翼は、昨年二月の侵略開始いらい、この〈プーチンの戦争〉を弾劾する闘いを、全力でくりひろげてきた。日本共産党をはじめとする自称「左翼」の腐敗を弾劾し、レジスタンスを戦うウクライナの労働者・人民と固く連帯してたたかってきた。

世紀の虐殺者＝プーチンによる悪逆無道な侵略戦争をうち砕く巨大な〈ウクライナ反戦〉の闘いを、この日本の地からさらに大きく創造しようではないか！

〝今ヒトラー〟にして〝スターリンの末裔〟たるウラジーミル・プーチンの領土強奪戦争にたいして、一致結束して戦っているウクライナの労働者・人民と連帯し、彼らを支援してたたかおう。

われわれは、ウクライナ民衆に塗炭の苦しみを強制してきた「社会主義ソ連邦」こそは、革命ロシアの簒奪のうえにつくられたニセの「社会主義」であり、スターリン主義の官僚専制国家であるということをつとに暴露してきた。プーチン・ロシアの蛮行を「社会主義ソ連邦」による過去の暴虐と重ねあわせ、憤怒を燃やして戦っているウクライナの労働者・人民と、わが反スターリン主義革命的左翼はともにたたかう。

　われわれは、プーチンを頭とするＦＳＢ強権型国家の強圧のもとで呻吟するロシアの労働者・人民に呼びかける。この侵略戦争に駆りだされているロシア連邦の労働者・農民・人民よ。隣国ウクライナの兄弟たちへの大殺戮を諸君に命じているプーチンを人民の力でうち倒せ！　ロシア兵士は、その銃口をクレムリンと将軍どもに向けよ。侵略軍にたいして血を流して戦っているウクライナ労働者・人民と連帯し、そして全世界のたたかう労働者・人民と連帯して、プーチン政権の打倒に突き進もう。

　いまこそロシア・ウクライナの労働者・人民が相呼応して実現したロシア＝ウクライナ・ソビエト革命、スターリンによって簒奪され踏みにじられてきたあの偉大なプロレタリア革命の精神を今日によみがえらせつつ、プーチン政権の暴虐にたいしてともにたたかおうではないか。

　いまロシアのウクライナ侵略を発火点として、世界のいたるところで米―中・露が激突し熱核戦争の危機が切迫している。アメリカの「属国」たる日本の岸田政権はいま、中国（北朝鮮）の基地に打撃を加える先制攻撃体制の構築を柱とする大軍拡に突進し、そのための憲法改悪と軍事費大増額に血道をあげている。

　われわれは日本の地において、ウクライナ反戦とともに、反戦反安保・反改憲の闘争に起ちあがろう！　岸田政権の大軍拡を阻止せよ！　日米軍事同盟のグローバルな強化反対！　憲法改悪阻止！　米―中・露激突下の世界大戦勃発の危機をうち破ろう！

　＜プーチンの戦争＞をうち砕くべく全世界で決起している労働者・人民と固く連帯してともにたたかおう！

ウクライナ反戦闘争の全世界への波及をかちとろう

ロシアによるウクライナ侵略戦争開始から一年にあたる二〇二三年二月二十四日から二十六日にかけて、わが全学連と反戦青年委員会のたたかう学生・労働者は、全国で怒りに燃えてロシアのウクライナ侵略を弾劾する大衆的な闘いに決起した。ヨーロッパをはじめ全世界においてこの週に、侵略軍にたいするウクライナ人民のレジスタンス闘争と連帯する国際的な共同行動がとりくまれた（一八頁～参照）。わが革命的左翼はこの国際的行動と固く連帯し、日本の地において既成左翼の闘争放棄を弾劾しつつ、「〈プーチンの戦争〉粉砕！　ウクライナへの大規模攻撃を許すな！」のスローガンを高々とかかげ、プーチン政権を憤怒に燃えて弾劾し敢然とたたかいぬいたのだ。

ウクライナの労働者・人民は、ウクライナ人民を酷寒のただなかで凍死に追いやることをたくらんだ殺人鬼プーチンの連続的な大規模インフラ攻撃を、文字どおり一致結束して耐えぬいた。三月からの春の訪れを迎え、彼らはいま「プーチンはふたたび敗北した。われわれは勝利する！」と、来るべき占領地奪還の総反攻に向けて闘志を赤あかと燃えあがらせている。

すべての労働者・学生諸君！

われわれ日本の革命的左翼は、このたたかうウクライナ人民と固く連帯し〈プーチンの戦争〉を最後的に打ち砕くために、いよいよもってウクライナ反戦の闘いを強力に推進するのでなければならない。そしてこの闘いを断固として全世界へと波及させようではないか。このわれわれの闘いの怒濤の前進こそが、生死をかけて戦いつづけるウクライナ人民への熱烈な連帯となり、勝利に向けての檄となるのだ。すべての労働者・学生・人民は、いまこそわが同盟革マル派とともに起ちあがれ！

（上）労学が名古屋市中心部をデモ（２・26）
（下）福岡市天神で労学が抗議集会（２・24）

厳冬下の攻撃をはね返したウクライナ人民の戦い

プーチンは昨年十二月いらい、ウクライナ人民にあくまでも屈服を迫ることをねらって、厳冬のさなか連日にわたり大量のミサイル攻撃をウクライナ全土のあらゆるエネルギー・インフラと集合住宅に集中し、ウクライナ人民を酷寒の地獄に追いやろうと狂奔してきた。この悪らつきわまる攻撃にたいして、ウクライナの労働者・人民は、破壊されたインフラをただちに復旧し、また共同で暖をとるための救援テントを設営したり自家用車で水・食糧・燃料を配給しあったりして、うって一丸となりこれを果敢にはね返したのだ。ウクライナ人民の不撓不屈の戦いのまえに、プーチンのこの悪逆なもくろみはまたしても無様に打ち砕かれたのである。

プーチンが一月に号令を発した「三月末までの東部二州制圧」のもくろみもまた、ウクライナ軍と人民の頑強な反撃のまえにあえなく潰えさりつつある。侵略軍が動員兵をいかに大量に投入しようとも、ウクライナ兵士たちはなお東部ドネツク州の地方都市バフムトを頑強に守りぬいているからだ。

この事態に直面して焦りに焦りをつのらせたプーチンは、みずからの冬期攻勢のこの惨憺たる現実をとりつくろうために、バフムトだけはなんとしても陥落させようといま躍起になっている。そのために、軍と民間軍事会社ワグネルの傭兵どもをこの都市の周囲に集中させ、戦闘経験の浅い動員兵や囚人兵を〝肉弾〟としてまっ先に突撃させて戦死者の山を築きながら、数にものをいわせて市街に突入させる攻撃を執拗にくりかえしている。

ウクライナの軍と領土防衛隊はこれを迎え撃ち、激しい砲撃で破壊し尽くされた建物の残骸をも楯に使いつつ、激烈な白兵戦を戦いぬいている。市内に残る四〇〇〇人の住民を断固として守りぬくために、武器と弾薬の不足を機敏な遊撃戦でカバーしながら、いまこの時にも昼夜を分かたぬ決死の防御戦をくりひろげているのだ。

前線の武器弾薬の不足を打開しようと腐心するゼレンスキー政権の軍事物資支援の要請にたいして、アメリカ・バイデン政権およびEU内のドイツ・フランスなどの帝国主義権力者どもは、あくまでもプーチンのロシアを弱体化させるためにそのかぎりで小出しに要請に応じるという態度をとっている。

米—中露激突下の熱核戦争勃発の危機

米欧権力者のウクライナへの武器支援がつづくことに危機感と苛立ちを高じさせたプーチンは、年次教書演説(二月二十一日)のなかで「ロシアは自国の軍備にたいするアメリカの査察を認めない。すべては過去のことだ」とほざいて、新START(戦略兵器削減条約)の履行停止を宣言すると同時に、「戦略核戦力の三本柱」を大増強する方針をうちだした。

プーチンは、ウクライナへの軍事支援をつづける米欧にたいして〝核の脅し〟を一気に強める挙にでているのだ。これに危機感をつのらせたバイデン政権はロシアをあくまで抑えこむために、「使える核」と位置づける小型核爆弾の開発と極超音速ミサイルの開発実用化にいよいよ拍車をかけている。

こうしていま、米・中の核戦力強化競争にくわえて米・露の核戦力増強競争が一挙に熾烈化しているのだ。

労学がロシア総領事館に怒りの拳（2・26、札幌市）

プーチンの苦境を目の当たりにして、中国の習近平政権は「ウクライナ危機の政治的解決にかんする中国の立場」と題する外務省文書を発表し（二月二十四日）、あたかもみずからをロシアとウクライナのあいだに立つ「仲裁者」であるかのようにおしだしはじめた。もしもプーチンがこのまま敗退をつづければロシアが弱体化し、やがてはプーチン政権が倒壊する事態にもおちいりかねないと危機感をつよめた習近平政権は、プーチンを支え救うためににわかに「仲裁者」ヅラをして外交上の策略を開始したのだ。

習近平は「仲裁」を衝立にして、中国が米欧諸国からロシアのプーチン政権と一蓮托生で強力な経済制裁の対象にされる事態をあくまでも回避しつつ、背後では米欧諸国からの経済制裁のゆえに半導体などの先端技術部品が枯渇し誘導ミサイルをはじめとする兵器生産全般の停滞に苦しんでいるプーチンのロシアにたいして、救いの手をさしのべようとしている。そのために、「ウクライナ危機の解決」をうたう中国の「立場」なるものをさもさもらしくおしだしこれを〝隠れ蓑〟として、家電製品をはじめとする汎用品にとどまらず、中央アジア諸国などの第三国経由でロシアに供給してきた半導体や電子装置をはじめとするさまざまな軍民両用の高度技術製品を新たにロシアに大量供給することを画策しているのだ。

習近平が、プーチンのウクライナ侵略を支持するベラルーシの〝盟友〟ルカシェンコの訪中を急きょ招請し、高度技術の開発や貿易などでの「戦略的パートナーシップの強化」をうたいあげたのも、そうした計略の一環にほかならない。

それと同時に習近平は、米欧の経済制裁には反発しているアフリカや中東・中南米などの「グローバル・サウス」と呼称される途上諸国・新興諸国の権力者をひきつけ、米欧の対中国包囲網形成の動きに対抗して、それら諸国を「一帯一路」という名の中国中心の広範な経済圏構築に囲いこんでいくためにも、みずからを欺瞞的にも「仲裁者」として装いおしだしているのだ。

あきらかに中露は背後で結託をいっそうつよめ、習近平の中国は侵略者プーチンのロシアを負けさせないように支える動きを強化しはじめた。背後で隠然とロシアと結託する習近平中国の、このウクライナ侵略支援の策動をわれわれは怒りを込めて弾劾する！

＜プーチンの戦争＞を打ち砕け

すべての労働者・学生諸君！

ロシアのウクライナ侵略に反対する二月二十四日夜の日比谷野外音楽堂集会に、「全労連」傘下の一部の単組をのぞいて日共系諸団体がのきなみ結集をサボタージュした。この一事に如実にあらわれているように、日共・志位指導部は、プーチンのウクライナ侵略戦争に反対する大衆的なとりくみを完全に放棄しさっている。彼らは、二月二十三日の国連総会緊急特別会合における決議を『国連憲章守れ』の一点での団結こそ戦争終結の道」などともちあげつつ、牽強付会にも「東アジアサミットの枠組みを発展させる」と称する自党のアジア外交政策上の代案を宣伝することだけに、いまやいっさいを解消しているのだ。

「共産党」をいまなお自称しているこの党は、かのソ連邦共産党の解散＝自己解体に直面し「諸手をあげて歓迎する」とほざいて（一九九一年九月）、スターリン主義者であったみずからをなんら自己批判することもなく思想転向をとげ、八九年一月以後なしくずしに導入してきた修正資本主義の路線とイデオロギーを全面開花することにより延命しようとしてきた。この思想的な腐敗のゆえにこの党は、内部に平然とプーチン擁護を主張するオールド・スターリニストを抱えこんだまま、身動きがとれずにウクライナ侵略問題から逃げまわっているのである。

われわれはこうした日共をはじめとするいっさいの既成指導部の腐敗を弾劾するとともに、プーチンのウクライナ侵略戦争を弾劾しえない自称「左翼」の腐敗の思想的根拠をも果敢にあばきだしつつ、ウクライナ反戦の闘いをいまこそいっそう強力におしすすめるのでなければならない。

プーチンは、かのソ連邦の崩壊をもっぱら「西側」によってもたらされた「二十世紀最大の地政学的惨事」とみなし、旧ソ連邦の版図のとり戻しを即「偉大なロシアの復活」とみなす大ロシア主義の妄執にとりつかれて、いまもウクライナ侵略を強行している。

もとより一九九一年のソ連邦共産党の自己解体を区切りとして、旧ソ連邦を構成していたウクライナを含む各共和国があいついでソ連邦から離脱し、国家としての独立に走ったのであった（ソ連邦の現実的終焉）。それは、何よりも「分離ののちの連邦制」というレーニン的原則を踏みにじったスターリンの大ロシア主義イデオロギーにもとづく苛酷な民族同化政策によって、諸民族が永年にわたり強いられつづけてきた抑圧と収奪と貧困・飢餓と暴虐にたいする、積もりにつもった歴史的怨念の噴出のゆえであったのだ。

ところがスターリン主義ソ連邦の秘密警察官僚あがりのプーチンは、「ソビエト社会主義共和国連邦」の結成時（一九二二年）に諸民族に「連邦離脱の自由」を保障することを強力に主張したイリイチ・レーニンをば、ソ連邦解体の「時限爆弾」を仕掛けたものだなどと口を極めて罵っている。そしてこの男は、世界プロレタリア革命完遂の立場に立脚したレーニンの「分離ののちの連邦制」というマルクス主義的原則——この深い洞察にもとづく基本原則を踏みにじった大ロシア主義者スターリンによる、暴力的な民族同化政策の貫徹の歴史をば、許しがたいことに「偉大なルーシの復活」として讃美しているのだ。

それだけではない。第二次世界大戦の前夜において、おぞましくも欧州の全労働者階級・人民の反ファシズム闘争を裏切り、ナチス・ヒトラーとの裏取り引き（独ソ不可侵条約およびその付属秘密議定書の締結）をつうじてバルト三国や西ウクライナを、さらにはモルドバをもソ連邦に併合したスターリンをば、「偉大なロシア」の版図を復活したものとして顕彰しているほどなのである。

プーチンはみずからのウクライナ侵略戦争を、スターリンの「大祖国戦争」になぞらえ、ツァーリ時代のロシア帝国と旧ソ連邦の版図を重ねあわせて「大ロシアの版図復活」をめざすものと聖化し正当化しつつ、なおも強行しつづけているのだ。まさにプーチンこそは、わが同盟がつとにあばきだしてきたように、亡国の惨禍をもたらしたスターリニスト官僚じしんによるソ連邦の自己解体を、なんら総括することができずに大ロシア主義の虜《とりこ》となりはてた、〈スターリンの末裔〉いがいの何ものでもないのである。

自称他称の「左翼」なるものが、この大ロシア主義イデオロギーにとりつかれたプーチンの侵略戦争を真正面から弾劾することが何ひとつできないのは、彼らが一度たりとも〈スターリン主義〉との思想的対決をおこなうことなくこの問題を避けてとおってきたがゆえにほかならない。まさにこのゆえに彼らは、「西側」のNATO東方拡大政策への非難に問題をすりかえてみたり、あたかも「ロシアを非難すればアメリカを利する」かのようにみなしたりと、没思想的な右往左往ぶりを満天下にさらけだしているのである。

われわれは、こうした自称「左翼」の度しがたい腐敗を弾劾しつつ、いまこそ日本反スターリン主義革命的共産主義運動の真価をいかんなく発揮して、〈プーチンの戦争〉を打ち砕く闘いを日本の地においていよいよ強力に推進するのでなければならない。それとともに、このウクライナ反戦の闘いを断固として全世界へと波及させるために力のかぎりたたかいぬこうではないか。

わが革命的左翼がこの一年、ウクライナとロシアの労働者・人民に向けて発しつづけてきた革命的な呼びかけは、いまやそれぞれの人民のなかに確実に浸透し共感を巻きおこしながら広がりつつある。スターリン主義ソ連邦の自己解体的崩壊というこの世界史的事態をば〈歴史の大逆転〉ととらえ、日夜その〈再逆転〉をめざして敢然とたたかいぬいているわが日本反スターリン主義運動とその担い手こそが、この闘いを先頭できりひらくことができる世界で唯一の部隊にほかならないのだ。

あくまでもウクライナの土地を強奪し民族そのものを抹殺しようとたくらむプーチンのこの世紀の蛮行を、いまこそ完膚無きまでに粉砕せよ！

反戦反安保・反改憲の闘いを！

ロシアのウクライナ侵略戦争によって、現代世界はいま大きく変貌をとげている。〈スターリンの末裔〉プーチンがウクライナへの侵略を開始するとともに、ネオ・スターリン主義中国とプーチンのロシアが核戦力の大増強にふみだしたことを動因として、いまや米―中・露の核戦力強化競争が、「使える核」の開発や極超音速ミサイルの開発配備を含む新たな次元において激烈化しはじめたのである。〈暗黒の世紀〉としての二十一世紀世界は、新たな〈戦争の時代〉に突入したのだ。

まさにこのゆえに、いまプーチンのロシアがウクライナで強行している侵略戦争が、また東アジアで高まる戦争的危機が、世界的大戦・熱核戦争の勃発にいつ転化するかもしれぬ危機にいま二十一世紀世界は叩きこまれている。いまこそ、米―中・露激突下で高まる戦争的危機を突き破る革命的反戦闘争の嵐を巻きおこせ！　岸田政権による憲法大改悪と先制攻撃体制の構築を核心とする空前の大軍拡を断じて許すな！　日米軍事同盟のグローバル同盟としての強化の策動を、労働者・人民の総力を結集し断固として打ち砕こうではないか！

すべての労働者・学生・人民は、〈反帝・反スターリン主義〉の深紅の旗のもと、わが同盟革マル派とともに起ちあがれ！

（二〇二三年三月六日）

ロシアの侵略を打ち砕け！世界中で燃えあがる闘いの炎

ウクライナ連帯行動世界週間（2・20～26）

最先頭でたたかったわが革命的左翼に圧倒的共感

ロシアのウクライナ侵略が開始されて一年、二月二十四日～二十六日にかけて、わが革マル派と全学連・反戦青年委員会は、首都・東京をはじめとして全国各地でロシア大使館・総領事館にたいする抗議闘争に決起した。この闘いをわれわれは、世界各国で時を同じくしておこなわれた「侵略弾劾！ウクライナ人民連帯！」の国際的な共同行動と固く連帯し、その最先頭でかちとったのである。

世界二十ヵ国・五十をこえる運動体や左翼諸組織は本年年頭に、侵略一年の二月二十四日を中心とする週を「ウクライナ連帯行動世界週間(a global week of action for solidarity with Ukraine)」に設定して、「ロシアの侵略戦争を止めろ！」をスローガンとする行動にいっせいに決起しよう、という呼びかけを発した(二一頁参照)。この呼びかけには、このかんわれわれが交流してきたウクライナの『コモンズ』誌編集部、イギリスの「反資本主義レジスタンス」、また「ウクライナ連帯ヨーロッパ・ネットワーク（ENSU）」等々が名を連ねている。わが同盟は、この共同呼びかけにただちに加わり、国際的に連携した闘いの強化を、ともに全世界に訴えてきたのである。

二月二十四日には、日本のわれわれが、世界の先

〈連帯行動世界週間〉呼びかけ団体の「ウクライナ連帯ヨーロッパ・ネット（ＥＮＳＵ）」がわが対ロシア大使館デモの写真を facebook に掲載

European network in solidarity with Ukraine and against war
1日・

Zengakuren [All-Japan Federation of Students' Self-Governing Associations] and Antiwar Youth Committees on February 24th, we rose in protest in Tokyo next to the Russian Embassy during the Global Week of Action for Solidarity with Ukraine.

日本語訳 ── 全学連（全日本学生自治会総連合）と反戦青年委員会が、ウクライナ連帯行動世界週間に際して、東京のロシア大使館にたいする抗議闘争に決起した

陣を切って対ロシア大使館デモに決起した。これに続いてリトアニア、スペイン、フランス、スイス、ベルギー、イギリスなどで、二十四日から二十六日にかけて大デモがおこなわれた。それぞれのデモの先頭には、やむなく祖国を離れ外国で苦難に耐えている多くのウクライナ人民が立ち、「プトラー(プーチン＝ヒトラー)を許すな」「ウクライナのレジスタンスに勝利を」と、拳をふりあげて行進した。各国政府・独占資本による物価つりあげ・賃金抑制に抗議しストライキでたたかっている多くの労組員たちは、ウクライナ人民のレジスタンスに熱い連帯の意志をしめし、それぞれの組合旗を掲げてデモの先頭に立った。

ロシア大使館(中央奥)にたたかう労学が怒りのシュプレヒコール(2月24日、東京・港区)

　いま欧州をはじめとする世界各国で、一部の自称「左翼」が、「悪いのはプーチンを追いつめたＮＡＴＯだ」とか「ウクライナは抵抗を止めて武器を置くべきだ」とかと叫んで、実質上プーチンを擁護する犯罪的対応をさらしている。こうした自称「左翼」の腐敗を徹底的に弾劾しつつ、「戦うウクライナ人民との連帯を」と呼びかけてきたわが日本革命的左翼の闘いは、世界各国の戦闘的左翼や心ある労働者・人民に圧倒的な共感を呼び起こし、いま「ウクライナ・レジスタンス連帯」の巨大なうねりをうみだしているのだ。この国際的な連帯行動こそは、その一端をしめすものにほかならない。

　反スターリン主義革命的左翼としての真価を発揮し、ウクライナ反戦闘争の国際的波及のためにさらに奮闘しよう！

〔資 料〕

ロシアの侵略戦争を止めろ！ウクライナに平和を！

ウクライナ連帯行動世界週間（2・20〜26）

二月二十四日の金曜日は、ロシア軍がプーチンとその体制の命令でウクライナに侵略してから一年を迎えます。この一年は、ウクライナの人々にとって言葉では言いあらわせない苦しみ、そして流血の年でした。

この完全に不正義の侵略は、すでに何万人ものウクライナの民間人と兵士の命を犠牲にしてきました。ウクライナの人々は、毎日、残虐行為と暴力に直面しています。何百万人もの人々が海外に避難し、さらに何百万人もの人々が国内での避難を余儀なくされています。

町や村がロシアの爆撃と空爆によって丸ごと瓦礫の山にされました。社会的インフラ（電気と暖房のネットワーク、学校、病院、鉄道、港など）は、この国を居住不可能にするほどにまでに、計画的に破壊されています。

プーチンは、独立した、そこで生活しうるウクライナを、なきものにしようとしているのです。

＊ロシア軍は、多くの場所で民間人とウクライナ兵を大量殺戮しました。何万人もの人々が、いまだ行方不明です。集団レイプ作戦とレイプによる虐殺を、ロシアは、攻撃の戦略として採用しています。ウクライナの町や村が解放されるたびに、新しい犯罪が次々に明るみにでます。

＊非常に多くのウクライナ市民（数十万人の子供を含む）が、同意なしで、しばしば暴力的に、ロシア領に強制移住されました。

　ウクライナの人々は、この侵略戦争の受動的な犠牲者になることを敢然と拒否し、侵略にたいして、武装・非武装のいかんを問わず積極的かつ大規模に抵抗しています。人民のきわめて広汎な連帯と自己組織化は、このレジスタンスを継続するうえで――様ざまのかたちでの国際的支援と並んで――重要な役割を果たしています。

「ウクライナに勝利を！」（2月26日、ロンドン）

　世界の眼前でウクライナの人々を殺害し、独立したウクライナを破壊することは、絶対に阻止しなければなりません！　ロシアの侵略にたいする可能なかぎり大きな国際的抗議行動と、ウクライナ人民との可能なかぎり幅広い連帯が、これまで以上に必要です。

　私たち、世界中の組織と個人は、二月二十四日を中心とする週を、ロシアの侵略にたいする抗議とウクライナとの連帯のための世界的な行動の週にするためにこの呼びかけを発します。

　ウクライナに平和を！　ロシアの戦争にノーを！

ロシア軍による爆撃の即時停止と、ウクライナからの全ロシア軍の撤退を！

　ロシアの侵略にたいする正当なレジスタンスをつづけるウクライナの人々にたいして、可能なかぎり幅広い支持と連帯を！

（二〇二三年一月三日）

2月25日　パリ　労組の旗を先頭に「労組はウクライナのレジスタンスを支援する」「ロシア軍をウクライナから撤退させるために」

2月25日　ジュネーブ（スイス）「ジュネーブはウクライナを支援する」。先頭に「ＳＴＯＰプトラー〔プーチン＝ヒトラー〕」のプラカード

2月24日　バルセロナ（スペイン）「バルセロナはウクライナとともにある」（カタロニア語）

「ソツィアルニィ・ルフ」が わが革命的左翼の闘争を紹介

ウクライナの左翼組織「ソツィアルニィ・ルフ（社会運動）」がfacebookで世界各地の闘いとともに、東京の２・24労学統一行動を紹介（下段の右側２枚）

「大祖国戦争勝利」神話にすがりつくプーチン

瀧川　潤

ウクライナ侵略開始一年を前にして、二〇二三年二月二十一日にクレムリンで年次教書演説をおこなったプーチンは、みずからがしかけたこの侵略戦争・大殺戮について、「戦争を始めたのは西側だ。われわれはそれを止めるために武力を行使しただけだ」などと弁明と居直りをくりかえした。二時間近くの長大演説のなかで「特別軍事作戦」なるものの現在について何ひとつ具体的に触れることもできずに、ただただ「西側はわれわれの戦略的敗北を狙っている」というフレーズを復唱したにすぎなかった。この被害者づらをした惨めきわまりない演説に、参列したとりまき連中の誰もが沈痛な面持ちで儀礼的な拍手で応えたにすぎなかった。

まさにそれは、ウクライナ軍と人民の猛烈な反撃によって「特別軍事作戦」なるものが破綻してしまったことをプーチンみずから認めたにひとしいものであった。

この一年間、プーチンのロシア軍は、キエフ攻略の失敗、ハルキウ州での潰走、ヘルソン市の陥落と、ウクライナ軍の反撃の前に敗退に次ぐ敗退をかさねてきた。追いつめられたプーチンは、今年初めから「東部ドンバスの完全制圧」を軍に厳命して、動員兵やワグネル囚人部隊などのあらゆる兵力を前線に投入し、まさに「肉弾」として突撃させる、という新たな攻撃を開始した。だが、この東部での総攻撃じたいも、いまやウクライナ軍の強力な反撃にはね返されて、累々たる戦死者の山を築いている。すでにロシア軍は、アフガニスタン侵略のさいの十年間で出したそれを数層倍上回る戦死者をこの一年間だけでうみだしている。

この戦力の甚大な喪失をつきつけられたプーチンは、いまや追加的な動員令、さらには総動員令を発することへの衝動を強めている。そして、戦争の長期化に厭戦気分を強めるロシア民衆を「戦争支持」にかりたてるためのプロパガンダに躍起となっている。そのためのシンボルとして、いまプーチン政権が喧伝しているのが、「ナチスを打ち負かした大祖国戦争の精神」なるものである。

〝新たな大祖国戦争〟というプロパガンダ

侵攻開始一年に先立つ二月二日に、ボルゴグラード（旧スターリングラード）において「独ソ戦勝利八十周年」記念式典に臨んだプーチンは、過去の「ナチスとの戦い」にかこつけて次のように叫びたてた。

「われわれはいま、ナチズムのイデオロギーが、現代的なかたちを装い、ふたたびわが国の安全保障に直接の脅威をもたらすのを目の当たりにし、またしても西側集団の侵略を撃退することを強いられている。」「われわれはふたたび十字のマークをつけたドイツのレオパルト戦車に脅かされている。ヒトラーの後継者であるバンデラ主義者を使って、ウクライナの土地でふたたびロシアと戦おうという動きだ」、と。

もはやプーチンは、「ドンバスのロシア系住民を保護するための特別軍事作戦」というみずからつくりあげた虚構をなりふりかまわずかなぐり捨てて、これは〝西側集団にテコ入れされたヒトラーの後継者との戦争〟であり、〝ロシアの存立を脅かす西側との戦争〟である、と叫ばざるをえなくなった。ドイツが供与を約束したレオパルト戦車をひきあいにだして「ドイツ＝ナチス＝ウクライナ」という等式をでっちあげ、それを踏み台にして〝現代のナチスにたいする新たな大祖国戦争〟といういまひとつの虚構をおしだし喧伝しはじめたのである。(註1)

だがそもそも今このときにウクライナの土地に攻めこんでいるのは、プーチン・ロシアであって、ショルツのドイツでもNATO諸国でもない。ナチス・ドイツに喩《たと》えられるべきはプーチンのロシアそのものなのである。プーチン・ロシアがナチスまがいの侵略戦争をしかけたからこそ、これに抗して戦っているのが、ウクライナの人民と兵士なのである。このプーチンの主張は、侵略した者と侵略された者とを百八十度逆さまにしたデタラメなプロパガンダにほかならない。

しかもゼレンスキーはユダヤ系のウクライナ人であり、祖父は赤軍の兵士としてナチス軍と戦った。このゼレンスキーとその政権を「ヒトラーの後継者」などと烙印することほど荒唐無稽なデマはない。

そもそも一九四一年九月にナチス・ドイツがウクライナに居るユダヤ人三万人以上を集めて虐殺したキーウ近郊のバビヤール、このユダヤ人殉難の地である悲劇の谷を、侵略開始その日に「ネオナチ打倒」の名分のもとにミサイルで破壊したのがプーチンなのだ(註2)。まさにそれゆえに彼は、全世界のユダヤ系の人々から「プトラー」と断罪されたのである。「ゼレンスキー＝ナチス」などというデマを性懲りもなく吹聴するプーチンこそは、まさしく〝今ヒトラー〟いがいのいったいなんであるのか。

「スターリングラード＝ロシア不敗」神話の鼓吹

この演説でプーチンは、「スターリングラードは大祖国戦争の決定的な転換点として歴史に刻まれている」と述べたうえで、次のようなことを滔々《とうとう》とまくしたてた。――

スターリングラードでの二〇〇日間の攻防戦で、「われわれの兵士と指揮官たち」はナチス軍にたいする「人間の可能性を超えた激しい抵抗」をくりひろげた。「彼らの祖国への忠誠心、〝真実はわれわれの側にある〟という絶対的な信念」、「祖国と真実のためにみずからを超え、不可能を可能にする覚悟」こそが、「ナチズムを打ち負かしたのだ。」「スターリングラードは永遠に、わが国民の不敗の象徴となった」、と。

まさに〝神がかり〟ともいうべき「スターリングラード神話」＝「ロシア不敗神話」の鼓吹である。

今日のロシア民衆の心の中には、父祖からの伝承や歴史教育などをつうじて「大きな犠牲を払いながらナチスを打ち負かした大祖国戦争」という〝ナロード（民族・人民）の物語〟が刷りこまれている。他方では、ソ連邦の崩壊による版図の縮小が「西側の攻撃」によって強いられたものであるという被害者意識を、プーチン政権によって植えつけられてきた。このようなロシア人の歴史的プライドと「西側」への被害者意識を同時にかきたて、もって「祖国への忠誠心」や「自己犠牲」を、ロシア人民に必死に注入し強制しようとしているのが、プーチンなのである。

しかもこの男は、ボルゴグラードをこの記念式典にあわせて一時的に「スターリングラード」と呼称させたり、スターリンの胸像を新たに除幕させたりした。「ナチスを打ち破った偉大な指導者スターリン」なるものを顕揚し、その〝権威〟をも利用して愛国心を発揚しようとしているのである。

「大祖国戦争勝利」の真実

だが、「大祖国戦争」（一九四一年六月に始まる「独ソ戦」のスターリン政府による呼称）とは、そもそも、ソ連一国の防衛のためにヒトラーと独ソ不可侵条約（一九三九年八月）を結んだスターリンが、そのヒトラーに裏切られて奇襲的な大攻勢を許してしまったことに始まる。スターリンは、不可侵条約の秘密協定（モロトフ・リッベントロップ協定）にもとづいてポーランドを独ソ両国で分割したことで、「ナチスの対ソ侵攻はない」とタカをくくり、完全に寝首をかかれたのである。

このような事態は、「一国社会主義」ソ連邦の防衛を自己目的化して各国における反ファシズム闘争を裏切り、ナチス・ドイツとの〝悪魔の取引〟に走ったスターリンの反労働者的な対外政策と軍事政策が招いた結果にほかならない。

しかもこの時点でスターリンは、〝軍の反乱〟を恐れてソ連赤軍内の司令官・将官・兵士を大量に「粛清」していた（赤軍最高幹部の八割が処刑され、五人いた元帥のうちトハチェフスキーをはじめとする三人が銃殺された）のであり、ソ連軍は機能不全に陥っていた。このソ連軍の弱体化をみていたヒトラーは、機を捉えて対ソ奇襲攻撃（バルバロッサ作戦）に踏みきったのだ。

このときスターリンは、ドイツ軍のソ連侵攻について多くの情報を得ていた。それにもかかわらず、〝ヒトラーは自分を裏切らないはずだ〟という妄想にもとづいてそれを握りつぶし、前線部隊に警戒態勢を解除させた。このことによってヒトラー軍の奇襲は成功し、ソ連軍兵士と人民は壊滅的な犠牲を蒙ったのである。わずか半月のうちにソ連軍は少なくとも五〇万人以上の兵員を失った（戦死・戦傷・捕虜）。スターリンは、みずからの無為ゆえに招いたこの大惨敗の責任をすべて一線の将軍たちになすりつけ、彼らを「ドイツのスパイ」と烙印して次々に逮捕し処刑した。

このようなみずから招いた惨敗と〝血の粛清〟による軍の弱体化、これを隠蔽し糊塗して国民をスターリニスト・ソ連邦を防衛する戦争に総動員するために、スターリンはナポレオンの大軍を撃退した十九世紀の「祖国戦争」に倣って、この戦争を「大祖国戦争」と命名したのである。

一九四二年八月から四三年二月まで半年以上にわたってくりひろげられたスターリングラードの攻防戦は、たしかに独ソ戦の転換点となった。この戦闘において、スターリングラードの住民と兵士たちは、ナチスの「絶滅戦争」にたいして死に物ぐるいで抵抗し、ナチス軍を撃退した。この攻防戦の勝利は、ひとえに人民と兵士の英雄的な死闘によって可能となったのである。

そこで「大元帥スターリン」がやったことは、みずからの名を冠したこの街を「何がなんでも守りぬけ」という官僚的命令を発したことであり、その貫徹のために、万余の兵士たちを人海戦術で前線に投入し――しかも怯んだり投降したりする兵士を「督戦隊」が背後から射殺するという残忍なやり方によって――、「肉弾」としてヒトラー軍にぶちあてることであった。この攻防戦でのソ連軍の死傷者は一〇〇万人を超え、住民の犠牲者は二〇万人を超えた、といわれている。スターリンは、「スターリンの街」を守るために、このような巨大な犠牲を兵士や住民に強制したのである。〔対独戦全体では、ソ連側にじつに二七〇〇万人余の死者が出た、とされる。〕

〝スターリンの末裔〟のあがき

兵士としての労働者・農民を鉄砲玉のように敵軍にぶちあてる凄絶な死闘戦をクレムリン宮殿から命

令した「大元帥スターリン」――このスターリンを「偉大な指導者」として賞賛し、その戦争のやり方（人海戦術や督戦隊方式）をそっくりそのまま真似しながら、いまウクライナの軍と人民にたいする残虐きわまりない攻撃に狂奔しているのが、ウラジーミル・プーチンなのだ。

そもそもプーチンは、「ウクライナ民族など存在しない」、「あの土地はロシアの歴史的領土の一部だ」などと傲然とうそぶきながら、旧ソ連邦の版図にウクライナを「奪回する」ことを狙って、今回の軍事侵略を強行した。大ロシア主義者たる彼にとっては、レーニンが指導したロシア革命は帝政ロシアの版図を切り刻み外国に売り渡した許しがたい犯罪であり、このレーニンに背いてロシアの版図を帝政ロシアなみに回復させたスターリンこそは「真の愛国者」なのである。スターリン以来のソ連邦が域内の諸民族にたいしておこなった数多の犯罪、これをおし隠して、一九九一年のソ連邦の自己崩壊を「地政学的大惨事」と嘆き、ただもっぱら「大国ロシアの復活」のために突進してきたのがこの男である。

まさにそのようなプーチンこそは、かつてのソ連邦内およびソ連圏の諸民族にたいする殺戮と圧政と収奪をほしいままにしてきたスターリンの末裔なのである。

「大祖国戦争」の絶叫によるロシア労働者・人民への「忠誠心」や「自己犠牲」の強制。これこそは、戦争狂プーチンのこうした〝スターリンの末裔〟たるの本質を如実に顕わにするものにほかならない。

＜プーチンの戦争＞を粉砕せよ！

註1　極右思想家のアレクサンドル・ドゥーギンは、今回のウクライナにたいするロシアの侵略戦争を、「第一次大祖国戦争」（ナポレオンのロシア侵攻を撃退した一八一二年の「祖国戦争」）、「第二次大祖国戦争」（ナチスの対ソ連侵攻を撃退したスターリンの「大祖国戦争」）につづく「第三次大祖国戦争」と呼んで、「総力動員」を叫んでいる。

註2　二月二十四日にロシア軍のミサイルがバビヤールの犠牲者追悼碑に命中し追悼碑を破壊するとともに、付近に居た五人が死亡した（ウクライナ政府発表）。

ロシアの侵略とウクライナの戦い　この一年

	ウクライナとロシアの動向
22年 2・24	プーチンの号令のもとに露軍がウクライナに軍事侵攻。首都キーウ（キエフ）・ハルキウ・オデーサなどの都市を空爆、北部・東部・南部から一斉に侵攻。チェルノブイリ原発を占拠。キーウ制圧作戦を開始 ウクライナ大統領ゼレンスキーが徹底抗戦を呼びかける
3・4	露軍が稼働中の欧州最大のザポリージャ原発を砲撃・占拠
3・6	ロシア全土でウクライナ侵略に反対する抗議行動
3・25	ウクライナ軍・人民が露軍のキーウ制圧作戦を粉砕。露国防省は敗北をごまかすために「作戦の第一段階終了、東部地域に重心を移す」と発表
4・2	キーウ近郊ブチャなどで露軍による住民の拷問・処刑が明らかに
5・9	プーチンが対独戦勝記念式典で演説、戦果を示すことができず
5・20	露国防省がマリウポリのアゾフスターリ製鉄所完全制圧と発表
7・3	露国防省が東部ルハンスク州リシチャンスクを制圧し州全体を占領と発表
7・22	ウクライナ・露・トルコ・国連4者協議でウクライナ産穀物輸出で合意
7・25	ウクライナ国防省がＨＩＭＡＲＳで露軍の弾薬庫50ヵ所を破壊と発表
8・5	露軍が占領中のザポリージャ原発を砲撃しウクライナの仕業と宣伝
8・9	ウクライナがクリミアの露軍サキ空軍基地を攻撃、軍用機9機を大破。ゼレンスキーは「クリミアで始まった戦争はクリミアでおわらせる」と演説
8・20	ウクライナがクリミアのセバストポリ露軍黒海艦隊司令部をドローン攻撃
9・1	ＩＡＥＡが露占領下のザポリージャ原発で調査（～5日）
9・10	ウクライナ軍がハルキウ州イジュームを奪還。露軍は兵器を捨てて撤退
9・15	ウクライナがハルキウ州で400の集落奪還、イジュームで440人の遺体を発見
9・21	プーチンが予備役30万人招集の部分的動員令発令。露各地で反対のデモ

関連する世界の動向

- 米・欧が露金融機関を国際銀行間通信協会（ＳＷＩＦＴ）から排除（2・26）
- 国連緊急特別総会で露軍即時撤退を求める決議、賛成141・反対5・棄権35（3・2）
- 米国務長官と国防長官がキーウ訪問、7億ドルの軍事支援を表明（4・24）
- 米主催でウクライナ支援40ヵ国協議、ＮＡＴＯ諸国・日・韓・豪など参加（4・26）
- ＥＵが海上輸送によるロシア産石油輸入禁止で合意（5・30）
- ＢＲＩＣＳオンライン首脳会議で習近平がロシア制裁反対の演説（6・23）
- Ｇ7首脳会議（ドイツ）。露による「穀物の兵器化」を非難（6・26～28）
- ＮＡＴＯ首脳会議、日・韓・豪・ＮＺが初参加。露を「敵国」と断じ、中国の脅威も明記（6・28～30）
- 露がドイツへのガスパイプライン「ノルドストリーム」を停止（7・11）
- 米下院議長ペロシの台湾訪問（8・2）に対抗して中国軍が台湾を囲む6ヵ所にミサイルをうちこむ（8・4～7）

9・23	ウクライナ東・南部4州の「住民投票」開始。「露への編入賛成多数」と親露派勢力が発表（27日）
9・29	プーチンが南部2州を「独立国家」と承認。東・南部4州の併合条約調印（30日）
10・2	ゼレンスキーがドネツク州北部の鉄道の要衝リマンを奪還と宣言
10・8	露本土とクリミア半島を結ぶクリミア大橋で爆発、橋が一部崩落。露軍が報復と称してウクライナ全土にミサイル攻撃、インフラ施設を破壊（10日）
10・17	露が併合したウクライナ東・南部4州にはロシアの「核の傘」が適用と核恫喝
10・19	プーチンが東・南部4州への戒厳令発令、ウクライナ住民を露軍に動員
10・24	露が「ウクライナが汚い爆弾を準備」と国連に書簡
10・27	プーチンが「核使用について言及したことはない」と発言。核恫喝をとりさげ
11・11	ウクライナ国防省がヘルソン市の奪還を宣言
11・15	露軍がウクライナ全土の電気・水道などエネルギー施設に90発以上のミサイル攻撃、侵攻以来最大の規模。23日にも大規模攻撃
12・5	ウクライナ軍がロシア西部のジャーギレボ飛行場と南部のエンゲリス飛行場を無人機で攻撃、軍用機2機破壊。6日には別の露軍飛行場を攻撃
12・21	ゼレンスキーが米議会で演説。バイデンはパトリオット供与など確認
23年	
1・11	露国防省がウクライナ侵略の総司令官に軍参謀総長ゲラシモフを任命
1・25	独が戦車「レオパルト2」14両をウクライナに供与と発表、他国の供与も承認。米の主力戦車「エイブラムス」31両の供与方針をうけて
2・2	プーチンがボルゴグラード（旧スターリングラード）での対独戦勝利80周年の演説。独の戦車供与を「ナチズム出現」と非難
2・20	バイデンがキーウを訪問しゼレンスキーと会談
2・21	プーチンが年次教書演説。「戦争をはじめたのは西側」「ロシアが戦場で負けることはありえない」と弁明・居直り。新ＳＴＡＲＴの履行停止を発表

・アルメニアとアゼルバイジャンがナゴルノカラバフで衝突。露は不介入（9・13）
・ＳＣＯ首脳会議（9・15～16）。共同宣言でウクライナに言及なし。習近平とプーチンがウクライナ侵略後初の会談、習はひややかに対応
・プーチンと会談した印首相モディが「今は戦争の時代ではない」と発言（9・16）
・国連総会が露のウクライナ4州併合を「違法で無効」とする決議。賛成143、インドや中国など棄権35、反対5（10・12）
・印国防相シンがショイグとの電話会談で「核の選択肢に頼るな」と発言（10・26）。中国外相・王毅が露外相ラブロフに〝核使用はやめよ〟と電話で通告（10・27）
・Ｇ20サミット（11・15～16）、プーチン欠席。宣言で「ウクライナでの戦争を非難」。「異なる評価もあった」と露に配慮
・ＣＳＴＯ首脳会議、露以外の5ヵ国はウクライナ侵攻を支持せず（11・23）
・国連緊急特別会合で露軍の「即時撤退」を求める決議を採択。賛成141・反対7・棄権32（23・2・23）
・中国が「ウクライナ危機の政治的解決に関する立場」なる「仲裁案」発表（2・24）

改憲・大軍拡を阻止せよ
〈プーチンの戦争〉を打ち砕け

中央学生組織委員会

二〇二三年の年頭にあたり、中央学生組織委員会はすべての全学連のたたかう学生に訴える！　いまこそ岸田政権による憲法改悪と空前の大軍拡をうちくだく闘いの、そしてプーチンのウクライナ侵略戦争を粉砕する闘いの一大爆発をかちとれ！

一月十三日、首相・岸田文雄とアメリカ大統領バイデンとがワシントン・ホワイトハウスにおいて首脳会談をおこない、日米共同での先制攻撃体制の構築・強化を謳いあげることをその核心的内容とする「共同声明」を発表した。これこそは、「中国主敵」の文字通りの攻守同盟へと日米軍事同盟を飛躍させることの宣言にほかならない。

昨年二月二十四日にプーチン・ロシアが開始したウクライナ人民虐殺・領土強奪の侵略戦争。これを契機として、ここ東アジアを焦点とした米日—中の戦争勃発の危機が一挙に高まっている。まさに、二二〇二〇年代の現代世界の基本構造をなす米—中・露〈新東西冷戦〉が孕む戦争的危機は、ユーラシアの西につづいて東においても戦火として噴きあがる寸前まで高まっているのだ。いまや現代世界は〈戦争と大軍拡の時代〉へと突入したのである。

こうしたなかで、ロシアのウクライナ侵略を渡りに船として、「反撃能力の保有」の名において先制攻撃システムの保有と大軍拡の道に公々然とふみだすという、「戦後安保政策の大転換」にふみきったのが、ウルトラ反動・岸田政権にほかならない。

この歴史的な大激動のまっただなかにあって、革命的・戦闘的労働者とともに、ここ日本の地で革命的反戦闘争の炎を赤々と燃やし奮闘しているのが全学連の戦士たちなのだ。

全学連のすべての学生諸君！　そして戦闘的・革命的労働者のみなさん！

「反安保」を投げ捨てた日本共産党翼下の既成反対運動をのりこえ、「憲法改悪阻止・大軍拡反対」の反改憲・反戦反安保闘争をまきおこせ！　日米グローバル同盟粉砕！　〈米—中・露激突〉下の熱核戦争勃発の危機をつきやぶれ！

そして諸君！　いまこそ〈プーチンの戦争〉を最後的に粉砕せよ！　ウクライナ反戦のとりくみを完全放棄している日共中央や、「ロシアもNATOも悪い」とほざいて侵略者プーチンを擁護する自称「左翼」どもを弾劾しつつ、ウクライナ反戦闘争の大爆発をかちとれ！　この闘いを全世界に波及させよ！

目　次

Ⅰ　熱核戦争の危機高まる二〇二三年劈頭の現代世界
　A　台湾をめぐる米・日と中国との角逐の熾烈化
　B　ウクライナ軍・人民の総反攻に追いつめられたプーチン
　C　空前の〈大軍拡競争時代〉の幕開け
Ⅱ　〈戦争をやれる国〉づくりに狂奔する岸田政権
Ⅲ　腐敗を深める既成反対運動と全学連の闘い
Ⅳ　革命的反戦闘争の一大爆発をかちとれ
　A　「反安保」を完全放棄する日共・志位指導部を弾劾せよ
　B　改憲・大軍拡阻止、ウクライナ反戦に起て

反動攻撃に狂奔する岸田日本型ネオ・ファシズム政権を打ち倒せ！
1・28全学連対国会・首相官邸闘争に決起せよ！

Ⅰ 熱核戦争の危機高まる二〇二三年劈頭の現代世界

A 台湾をめぐる米・日と中国との角逐の熾烈化

ロシアによるウクライナ侵略開始からまもなく一年を迎えようとしている二〇二三年劈頭。ここ東アジアにおいては、台湾を武力をもって併合する策動を一挙にエスカレートさせている習近平中国と、この中国の「力による一方的な現状変更」を阻止すべく同盟国を総動員し対抗しているバイデンのアメリカとの角逐が、熾烈化の度を増している。

そのまっただなかで開催されたのが、岸田とバイデンとの日米首脳会談であり、それに先立つ外務・防衛担当閣僚による日米安保協議委員会（2プラス2）会合（一月十一日）であった。

「反撃能力の保有」――日本が直接攻撃を受けていない「存立危機事態」においても発動されるとされたそれ――を盛りこんだ「安保三文書」と「GDP比二％」への軍事費大増額という大きな〝手土産〟を携えて、首相就任後初めてホワイトハウスを訪れた岸田。これを迎えたバイデンは、岸田の肩を抱きながら「日本の安保政策の大転換」を「歓迎」するとともに、「日米の安全保障戦略は軌を一にしている」ことを岸田とのあいだで謳いあげたのであった。

両最高権力者は、中国による「ルールにもとづく国際秩序と整合しない行動」、北朝鮮の「挑発行為」、ロシアのウクライナ侵攻を強烈に非難するとともに、これにたいする「抑止力と対処力」を兼ね備えた「日米同盟の現代化」なるものを確認しあった。さらに、軍事面のみならずいわゆる「経済安保」の分野でも、AI（人工知能）・量子・バイオといった軍事にも直結する重要技術の育成・保護、半導体や鉱物資源の供給網強化などにかんして「協力」が確認されたのである。

この首脳会談および前段の「2プラス2」会合における、日米両権力者の安保＝軍事上の合意内容で特徴的なことは、第一に、日米の対中国・対北朝鮮の先制攻撃体制構築にむけての日米協力の「深化」が確認されたということである。

すなわち、中国が二〇二七年までに台湾への武力侵攻の火ぶたを切ると予測しているアメリカ権力者は、これをなんとしても阻止し、またいざ「有事」となれば確実に中国軍を粉砕しうる体制を整えるために、「統合防空ミサイル防衛（IAMD）」という名の作戦構想にもとづいて、日本（および尹錫悦の韓国）とのあいだで〝先制攻撃とミサイル防衛との統合的運用〟を特徴とする軍事態勢構築を急ピッチですすめている。このIAMDにとって不可欠な日本国軍の攻撃システムを構築するために、アメリカ側がミサイルを売却するかたちで全面的に協力することが確認されたのである。

そして第二に、アメリカ側は、南西諸島に機動的に展開する部隊として、沖縄の米海兵隊部隊を離島戦闘即応の「海兵沿岸連隊（MLR）」に改編すること、日本側はこれに対応して那覇市を拠点とする陸上自衛隊第15旅団（二二〇〇人）を三〇〇〇人前後の師団に格上げするとともに・これを南西諸島全域に展開させることが合意されたということである。これとあわせて、海上輸送部隊の新編、弾薬庫や補給拠点の整備、米軍嘉手納弾薬庫の日米共同使用など、来たるべき「台湾有事」における・南西諸島を〝戦場〟とした中国軍との戦闘に勝ちぬくための日米共同作戦計画にもとづく部隊配置の再編・施設構築を急ピッチでおしすすめることもまた確認されたのだ。

さらに、米軍の兵站能力増強のために、横浜港内の米軍基地である「横浜ノースドック」を拠点とする米陸軍小型揚陸艇部隊を今春までに再編・強化することについても、両権力者間の合意が交わされたのである。

第三に、日本側の「日米同盟における役割」の増大にアメリカ側が応えるかたちで、「拡大抑止」すなわちアメリカの「核の傘」で日本を防衛すること、さらには宇宙空間にも安保条約第五条を適用することなどを約束したということである。

まさに、アメリカ帝国主義によって「日米安保の鎖」で締めあげられた「属国」日本帝国主義の〝忠犬〟岸田が、老いたる没落の軍国主義帝国の〝飼い主〟たるバイデンにたいして、日本も先制攻撃システムをもち、軍事費も大増額し、さらに米国製ミサイルを爆買いするという〝エサ〟を大盤振る舞いで献上する――そのような構図が示されたのが、今回の日米首脳会談であったのだ。

アメリカ帝国主義バイデン政権はこんにち、「国際秩序の再構築をめざす意志をもち、経済、外交、軍事、技術の力を向上させている唯一の競争相手」とみなした中国をば〝主敵〟と断じ、この「中国に先んじ・ロシアを抑える」ために核戦力の現代化と同盟諸国を総動員することを主眼に据えた新たな世界戦略（「国家安全保障戦略」）をうちだしている。こうした戦略にもとづいてバイデン政権は、日本、韓国、オーストラリアといった「インド太平洋」諸国との軍事的・政治的・経済的関係の強化に血眼となっている。今回の日米首脳会談こそは、こうしたアメリカ主導で構築してきた対中国の政治的・軍事的・経済的包囲網、その中核をなす日米の帝国主義同盟をうちかため、なかんずく軍事的には文字通りの「対中国攻守同盟」たらしめたことを世界に告知したのである。

そのようなものとしてこの日米首脳会談は、軍事的攻勢を強める中国にたいして、守勢に回る米・日両帝国主義の権力者たちが軍事・政治・経済のあらゆる部面での巻き返しを誓う儀式いがいのなにものでもなかった。明らかにそれは、台湾を焦点とした米日―中の軍事的角逐をいっそう激化させるインパクトとならないわけにはいかないのである。

いま習近平中国は、「核心的利益中の核心」とみなした台湾を武力をもって「中国化」せんとする策動に、一挙に拍車をかけている。

中国軍は、習近平その人の指示にもとづいて、岸田政権が「安保三文書」を閣議決定したその日（昨年十二月十六日）にあわせ・沖縄近海において空母「遼寧」を投入した一大軍事演習を強行した。中国が台湾侵攻にふみきったさいに、南西諸島における米日両軍の出撃拠点・ミサイル発射拠点を破壊するという作戦計画にもとづいたこの威嚇的軍事行動。これをもって習近平政権は、日米共同の先制攻撃体制構築への一線を踏み越えた岸田政権に最大級の軍事的恫喝を加えたのであった。

　中国軍の艦艇は、昨年八月の米下院議長(当時)ペロシ訪台にたいする〝報復〟を名分とした中国のミサイル発射演習以降、いまや恒常的に台湾周辺に展開している(昨年八月から十二月までの展開日数は一四九日、のべ六七一隻)。いわゆる中台「中間線」を超えての中国軍機の飛行は、昨年にはのべ五五五機を数えた(一昨年は二機)。

「改憲・大軍拡阻止！」全学連が首相官邸に進撃(１月28日)

　習近平政権がいまこうした策動のピッチをあげているのは、もちろん、日米両権力者が南西諸島へのミサイル部隊の集中配備を一挙にすすめるであろうことに危機感を高ぶらせているからである。ウクライナ軍に供与された高機動ロケット砲「ハイマース」などのアメリカ製通常兵器の精度と破壊力を眼前にした中国権力者は、米日がこれらの兵器をもって「第一列島線」上に対中国ミサイル網を構築せんとしているなかで・その完成に先んじて、台湾を包囲し奪い取りうる軍事体制を構築することに注力しているのだ。

　これにたいしてアメリカ帝国主義バイデン政権は、習近平政権による台湾奪取を阻止する軍事態勢をつくりあげるために、日本、オーストラリアなどの同盟国軍を動員するかたちでの、台湾近海や南シナ海における威嚇的な軍事行動を不断にくりひろげている。

それだけではなくアメリカ権力者は、「台湾有事」にさいして米日両軍の来援までに台湾が軍事的に壊滅することを回避しうるように、台湾への「対外軍事融資」として、今後五年間で最大一〇〇億ドルもの軍事支援をおこなおうとしているのだ。

こうしていま、中国とアメリカおよびその同盟国群とが、台湾をふくむ「第一列島線」上において、軍事演習という名の軍事行動を――さし迫る〝台湾クライシス〟において敵軍をせん滅する軍事作戦計画にのっとって――相互に激烈にくりひろげている。このゆえに、南シナ海上空で中国海軍の戦闘機「殲11」が米空軍偵察機「RC135」の鼻先わずか六メートルの至近距離にまで接近する(昨年十二月二十一日)というような、文字通り一触即発の事態が現出してもいる。

こうして台湾をめぐる米―中の軍事衝突が急切迫しているのであって、まさにそれは米日―中の熱核戦争の危機をいっそう高めるものにほかならないのである。

そしてこうした米―中の角逐のはざまで、中・露を後ろ盾とする北朝鮮の金正恩政権は、米本土を射程内におさめるICBM(大陸間弾道ミサイル)を手にしつつある「核保有国」としてアメリカ権力者に対峙しはじめた。

金正恩は、党中央委員会拡大総会(昨年十二月二十六～三十一日)において、戦略核兵器に加えて「戦術核兵器の大量生産」にふみだすことを確認した。そしてそれを米・韓・日の権力者につきつけるように、十二月三十一日と一月一日には「戦術核搭載可能」な「超大型ロケット砲」を日本海にうちこんだのであった。

いまや韓国や日本の軍事拠点（在韓・在日米軍基地を含む）を壊滅しうる「使える核兵器」の実戦運用段階にすでに突入したことを、金正恩は傲然と誇示しているのだ。プーチンの「戦術核の実戦使用」という恫喝が米欧諸国権力者を震えあがらせたことを目の当たりにして、みずからの専制支配体制を護持するために戦術核の増産につきすすみはじめているのが狂気の権力者・金正恩にほかならない。この金正恩は、ロシアの核兵器関連技術を入手するために、プーチンにウクライナ人民を殺戮するための武器・弾薬を提供するという犯罪に手を染めてもいるのだ。

これにたいしてバイデン政権は、韓国の尹錫悦政権をしたがえて、米韓合同の対北朝鮮軍事演習（米戦略爆撃機を投入したそれ）を頻繁にくりかえし金正恩を威嚇している。このバイデン政権との腹合わせにもとづいて尹政権は、いまや日本と同様に空前の国防予算増額（五年間で三五兆円）をはかりながら、「三軸体系」と称するアメリカと合同での対北朝鮮先制攻撃体制の構築を急いでいる。

こうして、朝鮮人民が南北に引き裂かれつづけてきた朝鮮半島においても、熱核戦争勃発の危機が急速に高まっているのだ。

B　ウクライナ軍・人民の総反攻に追いつめられたプーチン

プーチンのロシアによるウクライナ軍事侵略にたいして、ウクライナ軍およびこれと一体となって戦うウクライナ人民は、残虐無比の侵略軍を次々にうちくだいている。すでに、ウクライナ側のロシア軍への総反攻によって、開戦以来ロシアに占領された地域の半分以上（五五％）を奪還した。

ウクライナ軍は、ウクライナ人民からよせられたロシア軍の位置情報などにもとづいて、アメリカから供与された「ハイマース」を用いて東部ドネツク州のロシア軍臨時庁舎を的確に破壊するなど、占領地奪還をめざした攻勢を強めている。氷点下の酷寒に阻まれ、進軍のスピードは減退を余儀なくされながらも、ウクライナ側が掌握しているドネツク州の要衝バフムト（ドネツク全州への水の供給と物流の拠点）を目下の攻防の焦点として、侵略軍を打ち破るべく戦いぬいているのだ。

ウクライナ側の総反攻のまえに惨めな敗退をくりかえしてきたロシア大統領プーチンは、復讐心に燃えて、首都キーウを含むウクライナの諸都市にたいしてミサイルや自爆ドローンをふりそそぐとともに、寒さによってウクライナ人民の戦意を挫くことを狙って発電所や送電施設への攻撃に狂奔している。

そして侵略者どもは、要衝バフムトをなにがなんでも陥落させウクライナから奪い取るべく猛攻をかけている。バフムトの北方に位置し岩塩採掘の坑道があるソレダールを「制圧」したと、ロシア国防省とプーチン側近のプリゴジン（民間軍事会社「ワグネル」創設者）が発表した。こうした戦闘にロシア軍は、武器・弾薬の枯渇ゆえに北朝鮮から購入した弾薬を大量投入し、さらには士気のまったくあがらない正規軍や強制動員した「予備役兵」を補って、「ワグネル」の部隊をも公然と動員しているのだ。それは、追いつめられた「皇帝」のあがきにほかならない。

プーチンのウクライナ侵略にたいして、ウクライナ人民は団結をかため、酷寒をもしのぎつつ不屈の戦いをつづけてきた。まさにこのウクライナ人民の戦いの前進ゆえにこそ、米欧の権力者たちは、一月六日に過去最大の四〇〇〇億円の追加軍事支援を決めたバイデン政権を筆頭に、当面はウクライナ側への武器支援を継続する姿勢を示している。

だが同時にアメリカ国内では、トランプ派への譲歩を重ねた末にようやく下院議長に選出されたマッカーシーをはじめとして、下院の過半数を制する共和党の議員が「ウクライナ支援反対」を公然と噴きあげている（彼らの多くは昨年末に訪米したゼレンスキーによる連邦議会演説も欠席した）。この下院と上院との「ねじれ」に見舞われているバイデンは、「税金は国内に回せ」という声を背にした共和党からの圧力が強まれば強まるほど、ゼレンスキーに〝交渉のテーブル〟につくことを迫る方向への傾動を強めていくにちがいない。

こうしたなかでプーチンは、新たに総司令官に任命した参謀総長ゲラシモフのもとで全軍を総動員する体制をつくりだしつつ、ウクライナにたいする反転攻勢に出る機会をもうかがっている。

侵略開始からまもなく一年。プーチンの侵略軍をうちくだくウクライナ軍・人民の戦いは、いまや重大局面をむかえているのだ。

C　空前の〈大軍拡競争時代〉の幕開け

プーチン・ロシアによるウクライナ侵略・領土強

奪戦争の強行を契機として、米・欧・日、中・露などの諸国家権力者どもはおしなべて莫大な軍事費を投入しながら、自国の軍事力の一挙的増強に突き進んでいる。世界はいまや〈大軍拡競争時代〉に突入したといわなければならない。

中国の習近平政権は、台湾制圧作戦を米軍およびその同盟軍の介入を粉砕しつつ遂行しうる軍事的体制を構築するために、そしてゆくゆくは西太平洋の制海権をアメリカ帝国主義から奪い取ることをめざして、「強軍建設」目標なるものにもとづき核軍事力増強に血道をあげている。

とりわけ、ウクライナ戦争で示されたアメリカ製通常兵器の威力のほどを思い知らされた中国権力者は、そうであるがゆえに、東アジアにおいて米軍がいまだ配備していない中距離弾道ミサイルの増配備、なかんずく「ゲーム・チェンジャー」ともよばれる極超音速ミサイルの開発・配備、そしてさらには無人戦闘機「翼竜2」などの「ドローン兵器」の開発・配備に血道をあげているのだ。〔米国防総省はその年次報告書において、「中国軍は二〇三五年までに一五〇〇発の核弾頭を保有するにいたる」と予測している。〕

さらに習近平政権は、いわゆる「宇宙軍拡」にもいっそう拍車をかけている。

ウクライナにおいては、アメリカの軍事衛星や民間偵察衛星がもたらす情報によってロシア軍の動向がことごとくウクライナ軍に筒抜けとなっていたのであった。これを目の当たりにした中国権力者どもは、いま、敵＝米軍の軍事衛星を破壊するための「地上発射型の対衛星ミサイル」や「指向性エネルギー兵器」の開発をすすめるとともに、宇宙空間で敵の衛星を捕獲・妨害するいわゆる「キラー衛星」の開発をも急いでいるのだ。

この中国と結託して核軍事力の強化につきすすんでいるのが、「核大国」を自任するロシアのプーチン政権である。

ロシア軍は、ウクライナ侵略戦争において、米欧製のハイテク兵器で武装したウクライナ軍・領土防衛隊の攻勢のまえに惨めな敗北を重ね、その弱体ぶりを世界にさらけだしている。

まさにこのゆえに戦争狂プーチンは、唯一のよすがとなった「核」にすがりつき、核戦力の維持・強化に血眼となっているのだ。核弾頭搭載可能な極超音速巡航ミサイル「ツィルコン」を搭載するフリゲート艦を実戦配備したことに加えて、プーチンが〝最後の切り札〟とみなす、アメリカ本土を攻撃できる多弾頭ＩＣＢＭ「サルマト」(その破壊力は広島型原爆の二〇〇〇倍ともいわれる)の東シベリアへの配備にもついにふみきった。

こうした中・露、とりわけ中国の対米キャッチ・アップを狙った核軍事力大増強を眼前にして、「二〇三〇年代までに米国ははじめて〔中・露という〕二つの核大国を抑止する必要性が生じるだろう」(アメリカの「国家安全保障戦略」)という猛烈な危機感に促迫されているのが、没落著しい軍国主義帝国アメリカのバイデン政権にほかならない。

バイデン政権は、中国にたいしては、そのハイテク兵器開発を阻むことを軍事上の眼目として、兵器開発に不可欠な先端半導体やその製造設備の中国への全面禁輸という一大制裁措置にうってでた。そうしておいてバイデン政権は、みずからは過去最高額の軍事予算(日本円にして一一三兆円)を投じ、現時点では中・露のリードを許しているとされる極超音速兵器や、「使える核兵器」と称する小型核兵器の開発に突き進んでいる。そしてこの政権は、核軍事力の質的増強をなしとげるために、日本をはじめとした同盟国の保持する軍事技術あるいは軍事転用可能な技術を吸いあげようとしてもいるのだ。

アメリカの同盟国たる日本、韓国、オーストラリアの権力者、そしてドイツをはじめとするＮＡＴＯ諸国の権力者どももまた、ロシア・中国のいわゆる「力による一方的な現状変更」に直面し、またアメリカ帝国主義の「力の低下」をもまざまざと感じっているがゆえに、自国の軍事力増強にかつてない質と規模で突進している。

中国の権力者も、アメリカおよびその同盟諸国の権力者も、いまやＡＩをはじめとした先端デジタル技術の塊と化した最新兵器を開発するために、「経済安全保障」の名において、先端半導体や高度技術の獲得・囲い込み競争を熾烈にくりひろげている。

〝軍事力・技術力・経済力という総合的な国力が戦いを決する〟という信念のもとに、それぞれに国家総力戦体制を構築しながら激突しあっているのである。（とりわけ、アメリカ権力者が最先端の半導体の囲い込みをはじめサプライチェーンの分断・再構築をおしすすめていることからして、ソ連邦崩壊後にアメリカじしんが主導してすすめられてきた〈経済のグローバル化〉の〝逆回転〟というべき事態が現出しているのだ。）これが、ロシアのウクライナ侵略によって激変した現代世界における大軍拡競争の特質をなすといってよい。

米―中の権力者どももはまた、中東や東南アジア、アフリカ、さらには南太平洋などの諸国権力者をからめとり国家間関係を強化するためのテコとして、兵器の輸出にもそれぞれ拍車をかけている。従来「武器輸出大国」を自任してきたロシアが、ウクライナ侵略の長期化のもとでの兵器不足と米欧の対露制裁の強化のゆえに武器輸出を大幅に減少させているなかで、その間隙を埋めるかたちで米―中による〈南〉の諸国への殺戮兵器（中国のばあいはとりわけドローン兵器）の輸出競争がエスカレートしており、局地戦の火種を日々世界にばら撒いているのだ。

ロシアのウクライナ侵略開始から一年となろうとしている米―中・露〈新東西冷戦〉下の現代世界。この世界は、〝東風（中国ネオ・スターリン主義）が西風（アメリカ帝国主義）を圧する〟かのごとき様相をますます色濃くしているかにみえる。

だがしかし、「世界の覇者」として躍りでようとしている習近平の中国もまた、その足元では専制支配体制への反逆がうずまいている。

三月開催の全人代において三期目の国家主席に就こうとしている中共ネオ・スターリン主義党の頭目・習近平は、「ゼロコロナ」政策にたいする労働者・学生の怒りの闘いが全土に燃え広がったがゆえに、これを破棄した。だが、今度はそれを百八十度ひっくりかえす「フルコロナ」政策（集団免疫獲得まで感染を広げるというそれ）に転じるという官僚主義をむきだしにすることで、おびただしい感染者（九億人という推計もある）と感染死者をうみだしている。このような人民の犠牲のうえに、今世紀半ばまでに「社会主義現代化強国」にのしあがり〝世界の中華〟として君臨するという戦略目標を実現すべく、対米の軍事的・政治的・経済的挑戦に拍車をかけているのがネオ・スターリン主義中国の習近平政権なのだ。

これにたいして、没落の急坂を転がり落ちているかつての「一超」帝国アメリカのバイデン政権もまた、ムスリムをはじめ全世界人民の血に染まった手を隠しながら、「専制主義にたいする民主主義の闘い」などという色あせきった旗のもとになけなしの同盟諸国をかき集め、「唯一の競争相手」中国およびこれと結託するロシアの挑戦をおしとどめようとあがいている。

こうしたアメリカと中国・ロシアとの、相互に核戦力を強化しながらの正面からの激突のゆえに、いまや一九六二年キューバ危機以来ともいうべき世界大戦の危機・熱核戦争勃発の危機が差し迫っているのが、二〇二三年初頭の現代世界なのである。

Ⅱ　〈戦争をやれる国〉づくりに狂奔する岸田政権

この〈戦争と大軍拡の時代〉に突入した現代世界のなかにあって、「インド太平洋地域を中心に、歴史的なパワーバランスの変化が生じている」（日本の「国家安全保障戦略」）という危機意識に満ちみちた現状認識を開陳しながら、〈アメリカとともに戦争をやれる軍事強国〉へとなりふりかまわず突進しているのが、「安保の鎖」に縛られたアメリカの「属国」である日本の岸田政権にほかならない。

中国・ロシア・北朝鮮という三つの核保有国に対峙し、なかんずく中国の台湾奪取・尖閣諸島「領有」の策動に直面している岸田政権は、これらを軍事的に封じこめるために、戦後日本国家が建前としてではあれ掲げてきた「専守防衛」をいまや最後的に投げ捨て、アメリカ帝国主義とともに「敵国」を先制的に撃滅しうる軍事システムの構築（米軍の補完部隊としての自衛隊の飛躍的強化）へとふみだした。「安保法制」＝侵略戦争法にもとづき、「日本と密接な関係にある他国に対する武力攻撃が発生」（「武力行使の三要件」）したばあい――すなわち日本が直接攻撃を受けないばあいであっても、「集団的自衛権の行使」の名で敵基地や軍事中枢を破壊しうることを公然と謳いながらである。この大転換を画したのが、昨年十二月十六日に強行された「国家安全保障戦略」「国家防衛戦略」「防衛力整備計画」の「安保三文書」閣議決定なのだ。

それは、中国主敵の軍事戦略にもとづいて「集団的な力の強化」の名のもとに同盟国の総動員を策するバイデンのアメリカと「運命共同体」的に一体化し、日米軍事同盟を文字通りの攻守同盟として強化することを意味する。去る一月十三日の岸田―バイデン会談は、こうした日米軍事同盟の画歴史的強化を両最高権力者間の合意たらしめるものとなったのだ。

岸田政権は、この日米軍事同盟をばインド太平洋地域におけるアメリカ主導の対中国包囲網の中核をなすものとして位置づけるバイデン政権に呼応し・その先兵となって、まさに「グローバル同盟」としての強化のために奔走している。そのことは、訪米に先立って首相・岸田がイギリス首相スナクとのあいだで日英首脳会談（一月十一日）をもち、合同演習で武器・弾薬を使用するさいの法的手続きにまつわる「円滑化協定」に署名した（日豪間につづいて二例目）ことにも示された。米英豪の実質上の対中国核軍事同盟「ＡＵＫＵＳ」に日本を加え・もって〝インド太平洋版ＮＡＴＯ〟を構築せんとするバイデン政権、このアメリカ政府との腹あわせにもとづいて、岸田政権は、昨年十月に「日豪安保共同宣言」を謳いあげたオーストラリアにつづき、イギリス帝国主義とも――安保条約のような国際法的根拠など何もないにもかかわらず――実質上の軍事同盟構築にのりだしたのである。

アメリカと一体となって戦争をやれる軍事強国へと日本を飛躍させる策動の総仕上げとして岸田政権がたくらんでいるのが、憲法第九条の改定と「緊急事態条項」の創設とを柱とした、日本国憲法の明文改悪にほかならない。一月二十三日からはじまる次期通常国会において岸田自民党は、真正ファシスト日本維新の会および国民民主党を従え、改憲原案の憲法審査会提出にこぎつけようと躍起となるにちがいない。

この岸田自民党のうちおろす憲法改悪の攻撃こそは、〈戦争と大軍拡の時代〉に突入した現代世界において、〝先制攻撃システムを備えたネオ・ファシズム国家日本〟の最高法規を策定するという意味をもつのである。

岸田政権が「反撃能力」という名の先制攻撃システム構築の核心と位置づけているのが、「敵」の射程圏外からターゲットを攻撃できる「スタンド・オフ防衛能力」と称する長射程ミサイルの大量保有である。「12式地対艦誘導弾」の「能力向上型」なるもの（地上発射型、艦艇発射型、航空機発射型の三種類。射程九〇〇〜一五〇〇キロメートル）の開発・量産、「島嶼防衛用高速滑空弾」「極超音速誘導弾」の研究開発推進に加え、アメリカ帝国主義がアフガニスタンやイラクであまたの人民の頭上に撃ちこみ血の海に沈めてきた巡航ミサイル「トマホーク」一五〇〇発をアメリカから購入し配備しようとしている。同時に岸田政権・防衛省は、アメリカ権力者とともに対中国・対北朝鮮の戦争を遂行する指揮命令系統を強化するために、「戦争司令部」をつくりだす追求にも着手した。米軍「インド太平洋司令官」のカウンターパートとして、陸海空自衛隊を統括する「統合司令官」を統合幕僚長の下に新設すること、米「宇宙軍」に対応して航空自衛隊の宇宙作戦部門を強化すること（これにともない航空自衛隊を「航空宇宙自衛隊」と改称すること）、などがそれである。自衛隊を頭脳（司令部）から手足（末端部隊）にいたるまで文字通り米軍に一体化させ、米軍とともに先制攻撃をなしうる補完部隊として強化せんとしているのだ。

日本国軍の一大強化＝先制攻撃用兵器の大量配備のために岸田政権は、空前の軍事費を注ぎこむ二〇二三年度予算案を閣議決定した（昨年十二月二十三日）。そこにおいては、二三年度分の軍事費として六兆八二一九億円という史上最高額（前年比一兆四〇〇〇億円増)が盛りこまれ、さらに二四年度以降の軍事費に充当する「防衛力強化資金」(仮称)なる名目で三兆三八〇六億円が繰り入れられた。これを初年度として、以後五年間で軍事費を計四三兆円とし、二〇二七年時点で「対GDP比二%」の一一兆円を日本国軍増強のために注ぎこむことを、岸田は宣言しているのだ。

この莫大な軍事費をひねりだすためにたくらまれているのが、狂乱的な物価高騰のもとで苦しむ労働者・人民からさらにしぼりとる「防衛増税」である。

岸田政権は、現在所得税に上乗せされている「東日本大震災復興特別税」を来年度以降は一部軍事費として転用し、その分、「特別税」課税期間を延長するという大衆収奪強化策をうちだしている。「震災復興支援」の名で人民から集めた血税を、岸田政権は許しがたいことに軍備増強のために転用し注入しようとしているのだ。いずれ岸田は、所得税の追加増税や消費税税率アップなどのさらなる収奪強化策をもうちだそうとするにちがいない。

さらに岸田政権は、――「いわば防衛力そのものとしての防衛生産・技術基盤」(日本の「国家安全保障戦略」)という言辞にも端的に示されるように――〈戦争をやれる軍事強国〉を支える軍需生産基盤の構築と、ハイテク兵器生産のための技術的基盤の構築に血眼となっている。それは、かつては世界トップを謳歌していた「世界競争力ランキング」でいまや過去最低の三十四位に落ちこんだことに示されるような日本帝国主義経済の未曽有の危機をば、軍需産業の振興と武器輸出によってのりきることを策謀しているからにほかならない。

ウクライナ侵略を強行しているロシア軍が、米欧の制裁をうけてハイテク部品の供給を断たれ、武器・弾薬を枯渇させていることによって、ウクライナ軍・人民にたいする敗北を重ねていること。この事態を目の当たりにして、日本じしんの「継戦能力」の欠如を痛感した岸田政権は、中国(や北朝鮮)との来たるべき戦争を想定して、弾薬や部品の継続的な供給に耐えうる軍需生産基盤を政府主導で構築するための追求にのりだした。

その一環として政府は、防衛省が調達する装備品の開発・生産に携わる企業にたいして「包括的な財政支援」をおこない、そのうえで事業継続が困難になったばあいには製造施設を国有化する、という制度の構築を開始した（次期通常国会に関連法案提出をたくらんでいる）。莫大な血税を投入して、日本国家の戦争遂行を支える〝死の商人〟を政府丸抱えで育成することをたくらんでいるのだ。さらに、こうして生産された軍需物資の海外輸出を促進し・もって軍需産業を振興することも狙って、「防衛装備移転三原則」（かつての「武器輸出三原則」を改定したもの）のさらなる改定＝緩和さえもがたくらまれている。

このような「継戦能力の向上」を掲げた策動とならんで岸田政権は、ハイテク軍事技術の開発のための国家をあげた追求にもふみだした。

この政権は、いま習近平中国が「軍民融合」の名のもとに、ＡＩ・ドローン・ロボット・量子技術などの最先端の軍事技術開発を官僚政府の統制のもとに猛然と推進しているのを眼前にして垂涎し・焦りに駆られつつ、これに対抗するために、国家総動員で軍事技術開発にのりだそうとしているのだ――「属国」日本の「技術とカネ」を吸いあげることを策するバイデン政権との連携のもとに。

まさにこうした技術開発促進のために岸田政権は、いまや大学を「デュアルユース（軍民両用）」研究拠点たらしめる追求にもふみだした。①「アカデミアを含む最先端の研究者の参画促進等に取り組む」と称して、五〇〇〇億円の基金を投じて大学・研究機関や企業に研究開発を委託し、研究者を軍事研究に動員すること、②一〇兆円の「大学ファンド」を原資とした「国際卓越研究大学」認定制度をテコとして、大学の研究内容を政府の意に沿うものたらしめること、などがその柱である。政府が「日本学術会議」から安保法制や軍事研究に反対する学者をパージしつづけているのも、大学を戦争遂行のための軍事研究に総動員してゆくためにほかならない。

いまや、日本の国・公・私立の大学そのものが、〈戦争をやれる国〉に見あうかたちで抜本的に改変されようとしているのだ。

明らかに岸田政権は、激化する米―中・露〈新東西冷戦＞のただなかで、軍事のみならず経済・技術のすべてを動員した国家総力戦体制の構築をもって中・露・北朝鮮に対抗しようとしている。日本国家を、名実ともに＜戦争をやれる国＞へと改造せんとしているのだ。

Ⅲ　腐敗を深める既成反対運動と全学連の闘い

米―中・露の冷戦的角逐のまっただなかで、日本国家を＜戦争をやれる国＞へと飛躍させる一大反動攻撃を岸田政権が全体重をかけてうちおろしているというこの重大局面にあって、既成反対運動の指導部はいったい何をやっているのか。

日本共産党の志位指導部は、岸田政権が「安保三文書」の閣議決定を強行したことについて、「『専守防衛』をかなぐりすてる『戦争国家づくり』を許さない」と非難しつつ、「『反撃能力』＝敵基地攻撃能力の保有と大軍拡に反対する一点での国民的共同を広げ、岸田政権による『戦争国家づくり』への暴走を打ち破る」べきことをよびかけている。

いまや立憲民主党が日本維新の会と「共闘」を深めるという事態を眼前にして、「野党共闘」をつうじて「野党連合政権」を樹立するという〝展望〟を完全に失った日共中央。彼らは、このゆえに招来している深刻な党的危機を前方にむけてのりきることをもくろんで、下部党員を「大軍拡反対」の運動へと駆りたてているのだ。だがしかし、その運動は、「反安保」を完全に欠落させたものにほかならない。

他方で日共中央は、ウクライナ反戦のとりくみについては完全放棄を決めこんでいる。日共中央は、〝日本をウクライナのようにしないために「反撃能力」を〟という岸田政権の宣伝に実のところ押し負けているがゆえに、そして「ロシア＝ソ連＝日共」とみなされることを恐れていることのゆえに、ロシアのウクライナ侵略に言及することじたいを『『大軍拡反対』の国民的共同」を広げることにとっての〝阻害要因〟とみなし、徹頭徹尾黙殺しているのだ。

まさにこのような腐敗しきった日共指導部を弾劾しつつ、戦闘的・革命的労働者と連帯して「憲法改悪・大軍拡阻止」「ウクライナ反戦」の闘いを全国のキャンパス・街頭で断固としておしすすめているのが、全学連の学生たちである。首都圏のたたかう学生たちが、一月十三日に首相官邸にたいして「日米首脳会談反対」のシュプレヒコールをたたきこんだことは、まさに本年の「憲法改悪・大軍拡阻止」の闘いの大爆発をきりひらく嚆矢《こうし》にほかならない。

Ⅳ　革命的反戦闘争の一大爆発をかちとれ

A　「反安保」を完全放棄する日共・志位指導部を弾劾せよ

今日の代々木官僚がうちだしている「大軍拡反対」方針の特徴は、次の点にある。〔以下、引用は『安保3文書』閣議決定の撤回を求める」志位声明（『しんぶん赤旗』昨年十二月十七日付）、志位の「新春インタビュー」（同、今年一月一日付）、志位の「七中総幹部会報告」（同一月六日付）、『ウクライナ侵略と日本共産党の安全保障論』（昨年四月二十九日の志位講演）などより。〕

①岸田政権による「安保三文書」の策定という「戦後安保政策の大転換」について、代々木官僚は、「〝米国発〟のもの」「アメリカの手のひらの上で岸田政権は踊っている」と特徴づける。そして、「専守防衛に徹する」「自分の国は自分で守る」という政府の主張は「大ウソ」であって、「アメリカが地球規模でおこなう戦争で、自衛隊が肩を並べてたたかう」「米国の戦争に日本を巻き込む」ことが今回の閣議決定の「正体」である、と批判する。

こうした岸田政権による軍拡政策を阻止するためには、右のような「大ウソ」を明らかにすることをつうじて、「日米同盟は重要」「多少の軍事費増は必要」と考えている人々もふくめて『岸田政権の大軍拡反対』の一点での国民的多数派」を形成してゆくべき、とする。
②こうした「大軍拡反対」の方針は、岸田政府にたいする「平和の対案」＝「外交ビジョン」と称する政策的代案の提起とセットでうちだされている。すなわち、「東アジアを平和と協力の地域にしていく」ために、「現にある東アジアサミット（EAS）という枠組みを生かして」「地域の全ての国を包摂する平和の枠組みをつくっていく」ために政府は「外交努力」をすべき、というのがそれである。
そのさいに代々木官僚は、岸田政権のとっている外交政策について、「外交不在・軍事一辺倒」であり、「自由で開かれたインド太平洋（FOIP）」の名で「あれこれの国を排除（エクスクルーシブ）」する「ブロック政治」を推進している、と非難する。これに対置するかたちで、「全ての国を包摂（インクルーシブ）」する外交政策の採用なるものを提起しているのである。

このような日共中央の「大軍拡反対」方針は、まったく無力にして反労働者的なものなのだ。
（1）まずもって、日共中央は、「安保三文書」の策定について分析上は「米国発」と強調したり、「中国『抑止』を念頭に置いた日米同盟強化」だと事実的に指摘したりはしているものの、方針上は、日米軍事同盟の強化に反対することをまったく抜きさっている。
まさに日米軍事同盟の対中国攻守同盟としての飛躍的強化が画されたこのときに、「反安保」を放棄するのは決定的な犯罪ではないか！

それればかりではない。日共中央は、米日両権力者と中国権力者とが台湾を焦点として相互に威嚇的軍事行動をくりひろげ・軍事的に角逐しあっていることそのものに反対する闘いを決してよびかけはしない。「反安保」ばかりか、「反戦」の闘いの創造も欠落しているのだ。

いうまでもなく岸田政権は、「中国の脅威」「北朝鮮の脅威」を煽りたて、これにたいして日本国家と国民を防衛するためには〝やられる前にやる〟能力の保有が不可避として現下の大軍拡を正当化している。これにたいして「反戦」も「反安保」も抜きさって、ただもっぱら〝敵基地攻撃能力保有は日本防衛のためではなく、アメリカの戦争のためである〟ことを〝説明〟したとしても、日米軍事同盟にもとづく岸田政権の大軍拡の攻撃をうちくだく力が創造できるわけがないではないか。むしろ岸田政権の攻撃のまえに労働者・人民を武装解除することにしかならないのだ。

（2）こうした腐敗しきった対応に日共中央が終始しているのは、彼ら代々木官僚の掲げる「平和の対案」なるものの反プロレタリア的内実に規定されている。

この「平和の対案」は、志位いわく「東アジアに、日米軍事同盟と米韓軍事同盟という二つの軍事同盟があるもとでも、その実現のために力を尽くすべき課題」だという。「実現」の主体はもちろん現存日本政府とされているのであって、日共中央のこの代案は日米軍事同盟の現存のもとでも政府が即採用できるものとしておしだされているのだ。ここからは「反安保」が完全に抜きさられているのである。

志位はこの「反安保」ぬきの「平和の代案」なるものを〝基礎づける〟ために、日米軍事同盟が〝平和のアジア〟のなかではいかに「例外的な事例」でしかないのかという説明に腐心している。やれ、「アジアをヨーロッパと比較」したばあいに「最大の違いは、アジアには軍事同盟が二つしかないということ」だとか、「EAS」のような「包摂的な多国間の協力の組織が、アジアの安全保障の重要な担い手になっている」とかというように。

これはタワ言もいいところではないか。いまやアメリカ帝国主義のバイデン政権が日本帝国主義の岸田政権とのあいだで日米軍事同盟を攻守同盟として飛躍的に強化するとともに、この日米同盟を中軸として韓・豪・英などを束ねて多国間の対中国包囲網を形成しようとしている。これが、「台湾の中国化」をはかるネオ・スターリン主義中国の習近平政権の攻勢とともに、東アジア戦乱勃発の危機の〝一方の極〟をなしているのではないか。

代々木官僚は、ASEAN諸国に加えて日・米・中・露などが加わっている「EAS」をば「包摂的な多国間の組織」であり「平和の枠組み」であるなどとみなし、この「枠組み」の強化のために日本政府が努力することが「アジアに平和をつくる道」だなどとほざく。そしてこうした節穴から、米・日の権力者が推進している「FOIP」を旗印とした対中国の包囲網形成をば「ブロック政治」とか「特定の価値観による分断の持ち込み」とかというようにに特徴づける。こうして「分断」にたいして「包摂」を対置するというのが、代々木官僚の主張のアルファでありオメガなのだ。

だがしかし、台湾の「武力統一」にむけた攻勢を強めるネオ・スターリン主義中国と、これとの軍事的対決を強める米・日の帝国主義権力者――これらを、「EAS」という「枠組み」に「包摂」すれば戦争の心配はなくなるとのたまうけれども、それは、代々木官僚のみが信じる世迷い言ではないのか？　このような錯誤に陥るのは、彼ら代々木官僚が、EASという「枠組み」をば、その担い手である米・中二大国などの権力者およびその国家意志からきりはなして、むしろそれじしんが権力者を規制する実体的威力をもつかのように実体化してとらえているからなのだ。

げんにアメリカ権力者と一体となって中国権力者と角逐する岸田ら日本権力者どもにたいして、〝中国をも包摂する政治〟に転換してくださいと懇願するなどというのは、米・日の権力者がいかなる国家戦略にもとづき・いかなる利害を貫こうとしているのかをえぐりだし、その「国家悪・階級悪」を暴きだすことをまったく没却した者どものなせるわざでしかないではないか。いうまでもなく米・日の権力者どもは、現代中国をば「最大の戦略的挑戦」とみなし、これに対抗してブルジョア支配階級の階級的な経済的・政治的利害を貫徹するためにこそ、帝国主義階級同盟としての日米軍事同盟を強化しているのだ。そして、これにたいして中国のネオ・スターリン主義権力者もまた、人民の頭上に君臨する党＝国家官僚としての党派的・官僚的諸利害を貫徹するために、「社会主義現代化強国」にのしあがり〝世界の中華〟に飛躍するという世界戦略にのっとってアメリカ帝国主義に挑戦しているのである。

このような、それぞれの階級的・党派的の諸利害を貫徹しあい激突する米日両帝国主義と中国ネオ・

スターリン主義の角逐の分析を没却しきっているからこそ代々木官僚は、米・日・中がＥＡＳに入っているというだけのことをもってこれを「包摂的な枠組み」と美化的にとらえ、この「枠組み」での政府間「交渉」の延長線上に「平和」が実現できるかのような妄想をつのらせることになるのだ。これが、「階級」概念などとうに投げ捨て、また「資本主義国」と「社会主義をめざす国」の「二つの体制の共存」論からも〝自由〟になった代々木官僚の、行き着いた先にほかならない。

われわれは明らかにしなければならない――右のような米日両帝国主義と中国ネオ・スターリン主義の熾烈な角逐、そのもとで高まる戦乱勃発の危機を突き破るためには、米・日と中国のそれぞれの権力者に支配されている労働者・勤労人民が国境を超えた団結を創造し・これにもとづく反戦の闘いを創造するいがいにないのだということを。それゆえにわれわれは、ここ日本の地において、中国権力者の「台湾併呑」をねらう強硬策に断固反対するとともに、これにたいしてバイデン政権と岸田政権とが日米軍事同盟にもとづく先制攻撃体制強化をもって対抗していることにも反対し、高まる戦乱の危機をつきやぶる、まさに〈反戦〉〈反安保〉の闘いをこそ創出しなくてはならないのだ。

こうしたことの一切合財を没却し、日米軍事同盟の現存をそのままにして岸田政府に「平和の代案」の名で外交交渉の促進をお願いするなどというのは、現実には権力者どもが軍事力増強とつねにワンセットで展開する瞞着外交への、労働者・人民の幻想をあおることにしかならないのである。

（３）こうした内実の「平和の代案」とセットでの「大軍拡反対」方針なるものはもちろん、「日米同盟は必要」「多少の軍事費増は必要」という人々を票田としてとりこむ、という議会主義・集票主義的観点からうちだされている。「大軍拡反対」に起ちあがった人々に、いかに「反安保」の自覚をうながしてゆくのか、日米軍事同盟強化に反対する労働者・人民の主体的・階級的力をいかに創造してゆくのか。この核心問題をまったく投げ捨てているのが代々木官僚なのである。

まさにそれは、「野党と市民との共闘」の名のもとに、保守系の野党などにスリ寄りつづけたあげくに総パンクを遂げた、この〝いつか来た道〟を性懲りもなくくりかえすものではないのか。

この日共中央翼下の「反戦」も「反安保」も放棄した「大軍拡反対」運動を断固としてのりこえ、全学連は岸田政権による憲法改悪・大軍拡をうちくだく闘いを、日米グローバル同盟の強化に反対し、＜米―中・露角逐＞下の戦乱勃発の危機をつきやぶる反戦反安保の闘いとして推進するのでなければならない。

B　改憲・大軍拡阻止、ウクライナ反戦に起て

すべての全学連の学生諸君！　戦闘的・革命的労働者のみなさん！

わが革共同・中央学生組織委員会はよびかける。

二〇二三年劈頭の現時点においてわれわれは、「憲法改悪・大軍拡阻止」の闘い、そして＜プーチンの戦争＞をうちくだくウクライナ反戦の闘い――この二大闘争を、腐敗しきった日共翼下の既成反対運動をのりこえ、断固として創造するのでなければならない。すべてのたたかう学生は、昨一年をつうじてのウクライナ反戦闘争、反戦反安保・改憲阻止闘争がきりひらいた地平に確固として立脚し、いま総力をあげて二三春闘をたたかっている戦闘的・革命的労働者たちと連帯して、革命的反戦闘争の火柱を全国津々浦々からまきおこせ！

反改憲・反戦反安保闘争の爆発をかちとれ

われわれは、「安保三文書」の閣議決定を跳躍台として岸田政権がうちおろす、憲法大改悪、そして空前の大軍拡を断固として粉砕するのでなければならない。

岸田政権が労働者・人民の反対をふみにじって強行した「安保三文書」の閣議決定――これこそは、日本政府が形ばかり掲げてきた「専守防衛」を公々然と投げ捨て、日米軍事同盟をば先制攻撃システムをそなえた文字通りの対中国攻守同盟へと転換する

ものにほかならない。すでに「安保法制」(二〇一五年に安倍政権が制定を強行)では、日本が武力攻撃を受けていなくとも「我が国と密接な関係にある他国」への攻撃が発生しこれが「我が国の存立」を脅かす危険がある(=「存立危機事態」)と政府権力者が認定したならば、武力行使をなしうるとされている。この規定が「敵基地攻撃」にも「そのまま当てはまる」と公然と述べながら岸田政府は、集団的自衛権の行使の名において、アメリカと一体となって「敵」の基地や司令部などを先制的にせん滅しうる軍隊へと日本国軍を現実的に飛躍させることにふみだしたのだ。ロシアによるウクライナ侵略の開始を決定的な契機として、習近平中国が台湾の「力による併合」への強硬策を一気に強めたことにたいする危機感に駆られた岸田政権は、まさにこのウクライナ侵略を〝渡りに船〟として、安保=軍事政策の一大転換を——一片の閣議決定をもって——強行したのである。

まさに、ロシアのウクライナ侵略によってひらかれた<戦争と大軍拡の時代>のまっただなかにあって、日本の帝国主義国家としての生き残りをかけて、アメリカと「運命共同体」的に一体化しつつ、<戦争をやれる軍事強国>へと日本国家を全面的に改造せんと突進を開始したのが岸田政権なのだ。だがそれは、没落の軍国主義帝国との〝心中〟の道にほかならない。

全学連のすべての学生諸君! われわれは、アメリカとともに先制攻撃をなしうる<軍国日本>への跳躍のために、現行憲法を改悪し、大軍拡をなしとげるという岸田日本型ネオ・ファシズム政権の総攻撃を、木っ端みじんに粉砕すべく、不退転の決意でたたかおうではないか!

憲法第九条の改悪阻止! 「緊急事態条項」の創設反対! 次期通常国会への「改憲案」の提出を断じて許すな!

「安保三文書」の策定を踏み台とした、日米共同の先制攻撃体制の構築に断固反対せよ! 「スタンド・オフ・ミサイル」などの先制攻撃兵器の大量配備、アメリカ製「トマホーク」の大量購入を許すな! 自衛隊=日本国軍の増強と、米軍へのさらなる一体化を、断じて許してはならない。対中国戦争計画にもとづいた米日両軍の軍事演習反対！　自衛隊を「先制攻撃をやれる軍隊」たらしめるための、軍事費の大増額に反対せよ！

岸田政権による先制攻撃体制の構築は、いうまでもなく日本国軍を米軍の補完部隊として強化するものであり、それじたいが日米軍事同盟の対中国攻守同盟としての強化にほかならない。そして、このように名実ともに攻守同盟として強化されつつある日米軍事同盟に見合ったかたちで、「戦力不保持」「交戦権否認」を謳った現行憲法を最後的に投げ捨てることに、岸田政権がたくらむ憲法改悪の攻撃の本質があるのだ。

このときに、日共中央のように、「大軍拡反対」の方針からも「憲法改悪阻止」の方針からも「反安保」を抜きさることほど犯罪的なことはない。われわれは、憲法改悪をうちくだき日本の軍事強国化を粉砕するためには、「日米軍事同盟の強化反対！」「日米グローバル同盟粉砕！」の旗を高く掲げるのでなければならない。

台湾にほど近い沖縄・南西諸島を、米日両権力者どもはいまや対中国先制攻撃のための軍事拠点としてうちかためようとしている。われわれはいまこそ、辺野古新基地建設阻止の闘いの反戦反安保闘争としての爆発をかちとらなければならない。南西諸島への米日両軍の増配備を許すな！　南西諸島のミサイル基地化反対！　沖縄をふたたび戦場とし戦火に包むことを許さない反戦の闘いを爆発させよ！

＜基地撤去・安保破棄＞めざしてたたかおう！

同時にわれわれは、日米両帝国主義による先制攻撃体制構築に対抗するかたちで、中国の習近平政権が台湾近海・東・南シナ海で強行している威嚇的軍事行動に断固として反対するのでなければならない。「台湾の中国化」を狙った中国の強硬策反対！　中国の核戦力大増強に反対せよ！　ネオ・スターリニスト官僚専制体制の抑圧下で呻吟する労働者・勤労人民にたいして、自国政府の戦争政策に反対し決起すべきことを訴えよう！

北朝鮮・金正恩政権による連続的ミサイル発射弾劾！　核実験強行を許すな！

岸田政権による憲法改悪・大軍拡の攻撃を粉砕する闘いの前進のためには、この闘争を、〈米中冷戦〉下で高まる戦争勃発の危機を突破する反戦の闘いとしておしすすめるのでなければならない。米・日―中の台湾を焦点とした相互対抗的軍事行動に反対せよ！ 米―中・露の核戦力強化競争反対！

岸田政権は、軍事費をGDP比二%＝一一兆円に大増額するとともに、その巨額の財源を捻出するために、生活苦にあえぐ労働者・人民に「負担」を強いようとしている。彼らは、来年度以降のいわゆる「防衛増税」の候補として「法人税・所得税・たばこ税」をあげているのであるが、大企業支援を使命とする岸田は、早晩「法人税」をひっこめ、消費税増税などのかたちで労働者・勤労人民からさらに収奪を強めようとするにちがいない。そして、社会保障費の無慈悲な切り捨てをもさらにすすめようとするにちがいないのだ。われわれは、岸田政権による大軍拡策動を粉砕するために、「大軍拡のための大増税・社会保障切り捨て阻止！」のスローガンを高く掲げるのでなければならない。

また岸田政権は、先制攻撃体制構築のための最先端軍事技術を開発するために、政府主導で莫大な国家資金を投じて軍需産業を育成しようとしている。こうした〝死の商人〟の育成に、政府・独占ブルジョアジーは、地盤沈下著しい日本経済の〝復活〟を託してもいるのだ（軍需スペンディングの拡大は、過剰資本の処理の国家独占資本主義的形態の一典型をなす）。このゆえにわれわれは、「『経済の軍事化』阻止」「日本を〈戦争をやれる軍事強国〉に飛躍させるための、血税を投入した軍需産業支援を許すな」「殺戮兵器の輸出拡大反対」をも、岸田政権による大軍拡をうちくだく闘いの任務としなければならない。

岸田政権が、国会審議すらおこなうことなく・一片の閣議決定をもって戦後史を画する安保＝軍事政策の大転換をやってのけたことは、まさにこの「安保三文書」の策定過程そのものがNSC（国家安全保障会議）専制の強権的支配体制の一大強化にほかならなかったことを示しているではないか。それればかりではない。いまや中国との戦争を身構えて先制攻撃体制の構築に現実的にふみだした岸田政権は、この戦争遂行のために労働者・人民を総動員する体制の構築をも狙っている。岸田政権・自民党が「緊急事態条項」なるものの新設につきすすむ意図もまさにそこにあるのであって、改憲と大軍拡の攻撃をうちくだくためには、「日本型ネオ・ファシズム支配体制の強化反対」の旗を高く掲げることが絶対に必要なのだ。

いまや政府は、＜戦争をやれる軍国日本＞にふさわしく、その高等教育政策に「軍事研究推進」をビルトインし、大学をば軍事研究の拠点たらしめようとしている。まさにこのゆえに、政府の「国策」に国・公・私立大学のすべてをより従属させるための制度の構築をすすめるとともに、わが全学連派の学生がキャンパスにおいて推進する反戦運動をはじめとした学生自治会運動を根絶するよう、反動当局者の尻をたたいているのだ。

われわれは、＜戦争の時代＞における革命的学生運動破壊の攻撃を、木っ端微塵にうちくだこうではないか！

＜プーチンの戦争＞を打ち砕け！

われわれは、「憲法改悪・大軍拡阻止」の闘いとならんで、悪逆無比の＜プーチンの戦争＞をうちくだくウクライナ反戦の闘いを、ここ日本の地においてさらに推進するのでなければならない。

ウクライナの労働者・人民は、プーチンの占領軍をウクライナの地からたたきだすために、ウクライナ軍と連携し一致結束して不屈にたたかいぬいている。発電所などのインフラを爆撃・破壊し人民を極寒と暗黒にたたきこむ侵略者どもの攻撃にも一歩も退くことなく。

いまこそわれわれは、全世界労働者・人民の先頭にたち、＜プーチンの戦争＞粉砕の闘いをより強力に推進しなければならない。日本の地におけるこの闘いの断固たる推進こそが、命を賭して戦うウクライナ人民への連帯となるのである。

ロシア軍によるウクライナ人民殺戮弾劾！　ウクライナ全土へのミサイル攻撃・インフラ破壊弾劾！　追いつめられたプーチンによる、ウクライナにたいする戦術核兵器使用を断じて許すな！

日共・志位指導部は、ウクライナ反戦の闘いの創造を完全に放棄しつづけている。年初にもたれた「七中総」での幹部会報告においても、志位はウクライナの「ウ」の字も口にしない有様であった。彼らには、無辜の民を殺戮する侵略者プーチンへの怒りも、郷土と同胞を守るために侵略者とたたかうウクライナ民衆への共感もない。あるのは、〝ウクライナ問題をクローズアップすれば「日本がウクライナのようになっていいのか」という岸田政府の宣伝に棹さしてしまうのではないか〟というケチな打算であり、「ロシア＝ソ連＝共産党」とみなされたくないという自己保身でしかないのだ。われわれは、この日共中央の闘争放棄を怒りをこめて弾劾するのでなければならない。

またわれわれは、いまなおスターリン主義ソ連邦への〝郷愁〟に浸る労組ダラ幹や自称「左翼」どもが、「ロシアを追いつめたＮＡＴＯが悪い」とか「プーチャの虐殺の報道はフェイクだ」とかという破廉恥なプーチン擁護を叫びたて、ウクライナ反戦闘争に敵対していることをも、絶対に許してはならない。

われわれは、日本の地においてこうした日共中央や自称「左翼」どもの闘争放棄を弾劾しつつウクライナ反戦の闘いを創造するとともに、そのただなかで、ロシアの、そしてウクライナの人民にたいして、呼びかけを発してゆくのでなければならない。

プーチン政権の凶暴な弾圧に抗したたかうロシア人民よ！

プーチンによる「予備役動員令」を粉砕せよ！　諸君に強制的に銃を握らせウクライナの兄弟に向けさせようとする狂気の「小皇帝」を断じて許すな。その銃口をプーチンに向けよ！　祖国と民族を守るためにたたかうウクライナの民衆と連帯してたたかえ！　侵略戦争に狂奔するプーチン＝ＦＳＢ強権体制をうち倒せ！

ロシア人民よ！　いまこそ、ゴルバチョフによるソ連邦解体の反革命性に、そして「革命ロシア」を簒奪したニセのマルクス主義たるスターリン主義の反労働者性に目覚めよ。「悲惨なロシア」を突破し未来をひらくその道は、一九一七年のあの偉大なロシア・プロレタリア革命をこの現在にふたたび実現することと以外にありえない。いまこそこのことを自覚し、スターリンの末裔にしてソ連邦の国有財産の簒奪者プーチンの政権打倒へと前進せよ！

そして、マイナス二〇度の酷寒に耐え、〝勝利の春〟をめざして不屈にたたかうウクライナ人民よ！　占領者どもから東・南部四州を奪還し、侵略軍を撃滅すべくレジスタンスをたたかえ！　占領地の「ロシア化」策動をうちくだけ！　侵略軍をたたきだすこの戦いのただなかで、いま「反プーチン」の闘いに起ちあがっているロシアの人民と連帯し、彼らに「プーチン打倒」をよびかけたたかおうではないか！

ウクライナ人民への圧政と暴虐をほしいままにした「社会主義」ソ連邦、その反マルクス主義的＝スターリン主義的本質にいまこそ目覚めよ！　今から一〇〇年前、ロシアの労働者・勤労人民と合流してプロレタリア革命を実現したあの精神をいまこそ呼び覚ませ！

わが同盟がウクライナやロシアにむけて発してきた革命的呼びかけは、いま着実にかの地に根づきつつある。わが同盟に続々と届きつつある共感と連帯のメッセージにもそれは示されている。全学連の学生諸君！　いまこそ、ウクライナ、ロシアの人民と連帯したたかおうではないか！

わがウクライナ反戦闘争を全世界へと波及せしめよ！　ウクライナを発火点とした世界大戦・熱核戦争勃発の危機を突破する反戦の嵐をまきおこせ！

全学連のすべての学生諸君！　われわれは右のような改憲阻止・大軍拡反対の闘争、そしてウクライナ反戦闘争と同時に、岸田政府・独占資本家どもによる貧窮の強制をうちくだく政治経済闘争、またロシアのウクライナ侵略を契機とした〝エネルギー・ショック〟のなかで「原発の運転延長・新増設」へと舵を切った岸田政権による原発・核開発に反対する闘いなどをも推進するのでなければならない。

これらいっさいの闘いを集約し、ガタガタになりながらウルトラ反動攻撃に狂奔する岸田日本型ネオ・ファシズム政権の打倒をめざしてたたかおう！

（二〇二三年一月十五日）

分断と荒廃を露わにする落日の帝国アメリカ

辻堂岳史

「アメリカの結束」を掲げたバイデンが大統領に就任してから二年。軍国主義帝国アメリカはいま、全社会を覆いつくす混乱と分断と荒廃を全世界にさらけだし、いよいよ没落の急坂を転げ落ちている。全米各州でおこなわれた中間選挙（昨二〇二二年十一月八日投開票）を経て新たな連邦議会を開会したその矢先に、下院多数派を占めた共和党内から二十名のトランプ支持派議員が造反し、――やり直し投票を十四回くりかえしても――下院議長を選出できないという前代未聞の事態が現出した。ようやく、議会開会四日目になって十五回目の投票によって共和党下院院内総務マッカーシーが下院議長に選出されるにいたった（二三年一月七日）。

「アメリカ・ファースト」「ウクライナ支援反対」を呼号するこの共和党議員グループ（極右団体「ティーパーティー」の流れをくむ「フリーダム・コーカス」）は、マッカーシーが連邦議会議事堂襲撃事件（二一年一月）にかんする「トランプの責任」に言及したことをもって彼への投票を拒みつづけた。このゆえに下院は、四日間にわたって投票と休会とを延々とつづけるという機能麻痺に叩きこまれたのである。

こうした事態を眼前にして、大統領バイデンは「こんなに時間がかかるのはちょっと恥ずかしい。世界が見ている」とつぶやくことしかできなかった。まさしく落ちぶれ果てた軍国主義帝国アメリカの大統領にふさわしい言辞ではないか！

連邦議会を機能麻痺に叩きこんだこの不様なドタバタ劇こそは、「民主主義陣営のリーダー」を自任するアメリカ帝国主義の無残な末路を象徴するものにほかならない。発足から三年目を迎えたバイデン政権が、「自由と民主主義」だの「国際協調」だのというボロ旗を掲げ直しているのだとしても、上下両院の〝ねじれ〟という事態のもとで、この政権がデッドロックにつきあたりヨレヨレぶりを露わにするであろうことは明らかである。

老衰ぶりを露わにするアメリカ帝国主義の惨状を目の当たりにして、習近平の中国は――その足下を経済的危機と人民のネオ・スターリニスト専制支配にたいする反逆に揺さぶられながら――一気に対米の軍事的・政治的・経済的攻勢を強めている。アメリカを「世界の覇者」の座から引きずり降ろしつつある習近平・中国およびプーチン・ロシアと、これをなんとしても阻止することに血眼となっているバイデンのアメリカとの世界の覇権をかけた激突。それは、世界大的な大戦勃発の危機をいやがうえにも高めているのである。

Ⅰ　勝者なき中間選挙

トランプ派の敗北

昨年十一月の中間選挙においては、「レッドウエーブの席巻」（共和党の圧勝）という予測報道とは裏腹に、上院では与党・民主党が五十一議席を得て過半数を制した。（選挙後に非改選の民主党上院議員シネマが離党し無所属に転じたことによって民主党の議席は五十となった。）下院においては、共和党が二二二議席（改選前二一二）を得て辛うじて過半数をおさえたとはいえ、民主党をわずか十議席うわまわったにすぎなかった。

来たる二〇二四年の米大統領選において再び共和党から立候補することをもくろんでいるトランプは、その前哨戦と位置づけたこの中間選挙において上下両院議員および州知事の共和党候補の総計三三〇名を推薦しテコ入れをはかってきた。「自分が推薦した候補は必ず勝つ」などと思いあがったトランプは、だがしかし、推薦した候補の大部分が次々と落選するという惨憺たる結果を突きつけられた。

二〇一六年の大統領選においてトランプの支持基盤となったペンシルベニアなど北東部・中西部の「ラストベルト（錆びついた工業地帯）」における上院議員選挙においては民主党候補が勝利した。そして、決選投票にまでもつれこんだ、共和党の拠点ジョージア州における上院議員選挙においても、同様に民主党が議席を獲得したのであった。

こうした選挙結果をつきつけられて、すでに保守派の内部からさえも、「アメリカは新たな指導者を求めている」（前副大統領ペンス）などと明言しトランプを次期大統領候補から排除する動きが加速している。そして、フロリダ州知事デサンティスが共和党候補の選考対象として一気に前面に躍り出ている。〔「反移民」を標榜するデサンティスは、昨年九月、同州に到着した移民五十人を航空機でマサチューセッツ州の島に送致した。〕

いまや〝トランプ派の失速〟は鮮明になっている。トランプは、深刻化する諸物価の高騰のもとで生活苦に突き落とされている労働者・人民にたいして、とりわけ「プア・ホワイト」と呼ばれる白人労働者にたいして〝バイデンの失政〟をあげつらうとともに、みずからこそが「メイク・アメリカ・グレート・アゲイン」（＝〝古き良きアメリカの再興〟）を実現するのだとアピールしてきた。そうするならば〝共和党の圧勝〟がもたらされるなどと夢想してきたのだ。だが、それは完全にパンクしたのである。

その最大の要因は、トランプに推薦された共和党候補が、人工妊娠中絶禁止、銃規制強化反対、移民受け入れ規制強化、黒人・移民・性的少数者の社会的排斥という主張をくりかえしたことにたいして、「Z世代」（一九九〇年代半ばから二〇一〇年に生まれた世代）と呼ばれる十〜二十歳代の若年層や女性や黒人および移民を中心とする労働者・人民の怒りと批判が一挙に拡大したことにある。日々の生活のなかで貧窮と差別に苦しむ多くの労働者・人民にとって、このトランプが煽動する「メイク・アメリカ・グレート・アゲイン」（MAGA）なるスローガンは、宗教的・民族的・人種的・地域的の反目と憎悪を煽りたて、差別・社会保障切り捨てを公然と鼓吹するものでしかないのである。

15回目の投票で下院議長選出のマッカーシー（中央）

一方では、白人層の半数、アメリカの人口の四分の一にのぼるキリスト教福音派の多くが人工妊娠中絶禁止を主張するトランプ派＝いわゆる「MAGA派」候補に票を投じた。これにたいして、トランプおよび「MAGA派」の煽動によって、黒人やアジア・中南米系人民、女性や性的少数者にたいする殺人・傷害・いやがらせなどのヘイトクライムが全米各地で頻発し増加の一途をたどっているなかで、黒人の八割強、中南米系の六割が「反トランプ」を掲げる民主党候補の支持に回ったのであった。そして、「ジェネレーション・レフト（左派世代）」と呼ばれる若年層（十八〜二十九歳）は、貧富の格差拡大・極端化や福祉切り捨てや政治エリートの腐敗など社会的諸矛盾をもたらしているアメリカ社会に批判を強めている。これらの労働者・人民の多くが、非正規雇用を強いられたり極限的な貧困に突き落とされている若者・女性・高齢者・黒人・移民など「社会的弱者の権利」を傲然と切り捨てるトランプ派への〝批判票〟を投じたのであった。

〔こうした労働者・人民のトランプ派への怒りは、

昨年六月に最高裁が人工妊娠中絶の権利を否定する判断をしめしたことを契機として一挙に拡がった。トランプ前政権のもとで保守派判事が多数を占めた最高裁は、「中絶禁止は憲法違反」という従来の憲法解釈を全面的に否定しさったのであった。」

大惨敗をまぬがれたバイデン

「レッドウェーブ」は不発に終わったのだとはいえ、それはもちろん、バイデンにたいする労働者・人民の支持が回復されたことをなんら意味しない。今回の中間選挙投票日直前の十月下旬まで、バイデン政権の支持率は三九％にまで下落しつづけ、就任いらいの最低支持率にひたひたと近づきつつあったのだからである。

生活必需品価格の高騰によって一挙に生活苦に突き落とされた労働者・人民の怒りはますます高まるばかりなのだ。物価上昇率は、ＦＲＢ（連邦準備制度理事会）の金利引き上げによってやや緩和されたのだとはいえ、依然として八％に迫る歴史的なインフレはおさまる気配を見せてはいない。こうしたなかで、食料・衣料・ガソリンなどの生活必需品価格の高騰に見舞われ生活苦に突き落とされた労働者・人民の怒りはいやましに高まり、バイデン現政権にむけられているのだ。

現下の狂乱的なインフレじたいが、バイデン政権が国債乱発によって調達した資金を独占資本支援のために「新型コロナ対策」と称して総額六兆ドルもばらまき、そうすることによって招きよせたものにほかならない。しかも、新型コロナ感染拡大下における需要の減退にともなって運輸・流通や飲食・宿泊などのサービス業の資本家どもが大量に解雇した労働者が、再び解雇されることを忌避して同様の職種に復帰しないことによって深刻な労働力不足に陥っている。このゆえにこれらの業種の賃金が上昇し、それを資本家が価格に転嫁することによって諸物価高騰に拍車をかけている。

こうしたインフレの昂進を抑えこむためにＦＲＢが実施した金融引き締め策を契機として、アメリカ経済は明らかに景気後退局面に突入している。〔二〇二二年のGDPは、第1四半期(一・六%)、第2四半期(〇・六%)と連続して減少した。」

　昨年来、スタグフレーション転落の可能性が胚胎するアメリカ経済危機の深刻化のもとで、バイデン政権はますます政権支持率の低落化に見舞われてきた。これをのりきるために、バイデン政権は、昨年八月に成立させたインフレ抑制法にもとづいて、三六九〇億ドル(約五〇兆円)にのぼる大型補助金を支出するという企業支援策をうちだしてきた。同時に、「Z世代」の若年層をみずからの支持基盤としてとりこむために、最大二万ドルにのぼる学生ローン返済免除法を約四三〇〇万人を対象として施行することを発表した(八月)。

　それだけではない。中間選挙をまえにして、トランプが連邦議会襲撃事件を居直ったり、社会的弱者切り捨てや人種間対立を煽る言辞を呼号したことにたいして無党派層や共和党の支持層からさえも不信や怒りの声があがりはじめたこと、この機をとらえてバイデンの民主党は、共和党予備選に介入し、あえてトランプ派(MAGA派)候補者への〝応援〟キャンペーンを展開するという〝奇策〟にうってでた。〝支持率が低くともトランプが相手なら勝てる〟という計略をめぐらせながらである。

　こうして与党・民主党が大惨敗に見舞われるという事態を辛うじて回避したのだとはいえ、バイデン政権がますますヨレヨレぶりをさらけだすことはまちがいない。二三年一月から開会された新たな連邦議会においては、上院の過半数を民主党が確保したものの下院は共和党が制するという〝ねじれ〟状況に陥るのだからである。このゆえに、バイデン政権は、ウクライナ軍事支援をはじめとする安保・外交政策ならびに社会経済政策などの議会通過がますます困難になることは明らかである。

　今回の中間選挙においてむきだしとなっているアメリカのむごたらしい荒廃、その基底にあるものこそ、新型コロナ・パンデミックのもとで一挙的に拡大した階級間格差にもとづく社会の分断であり、数年以内には中国に「世界第一の経済大国」の座を奪われかねない危機に直面したアメリカ支配階級内部の対立と焦燥にほかならない。

Ⅱ　中国封じ込めのための重層的包囲網づくり

Ａ　＜中国主敵＞の新たな世界戦略

昨年十二月二十一日に電撃的に訪米したウクライナ大統領ゼレンスキーとの首脳会談に臨んだバイデンは、そこにおいて長距離地対空ミサイルシステム「パトリオット」一基を含む一八・五億ドルの追加軍事支援を表明した。バイデン政権は、「国際システムのさし迫った脅威」とみなしたロシアの「弱体化」をうながすために、「専制主義と戦う民主主義陣営の団結」を旗印として欧州を束ね対露の軍事的包囲網を強化することに血道をあげている。こうした対ロシア戦略への議会の支持をとりつけるために、訪米したゼレンスキーに上下両院合同会議での演説の機会をもうけるという演出を凝らしたのであった（共和党議員の六割が欠席）。

だが、欧州のＮＡＴＯ諸国は、それぞれが空前の物価高に見舞われているもとで、ロシアのウクライナ侵略への対応をめぐって足並みの乱れを露わにしている。これを見透かしているロシアのプーチン政権は、「戦争の長期化」をはかりながら、エネルギー不足と価格高騰に見舞われている独仏伊などの欧州諸国権力者にたいして、天然ガスの供給量を削減するという〝逆制裁〟をくわえ音をあげさせようとしているのだ。とりわけ、ロシアのエネルギーに依存しながらも――プーチン・ロシアのウクライナ侵略をナチス・ドイツの蛮行の再現とみなしているがゆえに――対露制裁を堅持する姿勢をとっているドイツを狙い撃ちにして、「ロシアが天然ガスを止めたらどうなるかみせてやる」とばかりにギリギリと締めあげているのだ。

アメリカもまた、経済危機が進行するただなかで、トランプ派の突きあげをうけた共和党のマッカーシーなどが「〔ウクライナに〕白紙の小切手を出すな」「〔ウクライナ支援は〕アメリカの利益にならない」「ヨーロッパにただ乗りを許すな」などという主張を噴きあげている。このゆえにバイデン政権は、「ウクライナ支援継続」を表明しながらも、水面下では戦争の長期化を避けるためにプーチン政権との政治交渉開始を模索しているのだ。

ロシアのウクライナ侵略戦争開始から十ヵ月余を経たこんにち、現代世界は、まさしく新型コロナ・パンデミックのもとでむきだしとなった米―中・露の対立構造への推転の・その新たな局面をしめした。暗黒の二十一世紀としての現代世界は、まさに戦争の時代へと突入したのである。そして、「一超」軍国主義帝国アメリカとネオ・スターリン主義中国との力関係が、いままさに逆転するという新たな局面に入ったのだ。

激変した現代世界のただなかで、バイデン政権は、「唯一の競争相手」たる中国を〝主敵〟と断じ、この中国を封じこめるためにアメリカ国家および同盟諸国の政治・軍事・経済の総力を動員することを柱とする世界戦略をうちだしている（昨年十月十二日発表の「国家安全保障戦略」および十月二十七日発表の「国防戦略」――補1）。

この新たに定めなおした戦略目標を達成するために、バイデン政権は、陸海空にとどまらず宇宙・サイバー空間・電磁波の領域におけるマルチドメイン作戦を遂行しうるように「軍の現代化」をすすめるとともに「同盟国・パートナー国の集団的影響力を高める」と称してＮＡＴＯ同盟諸国および日・豪・韓などの軍事的・技術的・経済的な力を利用することに狂奔している。それは、もはや一国では、中国を封じこめることができないほどまでに没落したアメリカ帝国主義権力者のあがきにほかならない。

この政権は、とりわけ昨夏いこう台湾を焦点として対米攻勢をエスカレートしている習近平中国を軍事的・政治的に抑えこむことに血道をあげている。ネオ・スターリン主義中国の習近平政権は、かの米下院議長（当時）ペロシ訪台への対抗を名分として強行した一大ミサイル演習（昨年八月）いこう、事実上の中台境界線となってきた「中間線」を越えての中国軍戦闘機の飛行をかつてないハイペースでくりかえしている。これにたいしてアメリカ帝国主義のバイデン政権は、「われわれは彼〔習近平〕が二〇二七年の開戦にむけて準備するよう指導したことを知っている」(昨年十二月、ＣＩＡ長官バーンズ)などと、習近平中国が人民解放軍創建百年(二〇二七年)に合わせて台湾併呑にむけた策動を強化するであろうことへの警戒心を高ぶらせている。この中国の台湾併呑策動を阻止するために、日本、オーストラリア、カナダなどの同盟国を動員しながら、台湾近海や南シナ海における威嚇的軍事行動を強行したり、艦船による台湾海峡通過を強行している。しかも、習近平政権が、「軍民融合」の名のもとに最先端半導体などの技術を軍事転用して大軍拡に突進していることを抑えこむための強力な制裁措置に傲然とふみだしているのがバイデン政権なのだ(後述)。

アメリカ帝国主義にとって、中国による台湾併呑を許すことは、中国の世界制覇戦略実現を許すことに直結するのであり、これを絶対に認めるわけにはいかないのだ。軍事的には、太平洋に進出することを狙う中国海空軍に出撃拠点を獲得させることを許すことになるのだからである。同時に、経済安全保障上は、最先端半導体の生産で世界シェア九割超を占めるＴＳＭＣ(台湾積体電路製造)など有数の半導体企業を中国に奪われることになるからである。まさにこのゆえにバイデン政権は、中国が「世界の覇者」にのしあがることを許さないために、中国による台湾併呑をなんとしても阻止することに躍起となっているのである。

ところで、米国防総省が「国家防衛戦略」と同時に発表した「核態勢の見直し」においては、核兵器の使用にかんして「敵の核攻撃抑止と報復」に限定するという核政策の策定が見送られた。「アメリカや同盟国が核以外の通常戦力で攻撃を受けるリスクをもたらす」という理由をもって……。まさにこのことは、バイデン政権が、「使える核兵器」＝戦術小型核の開発・配備を強行するというトランプ前政権の核政策を引き継ぐことを意味する。「グアムキラー」「空母キラー」と称する長射程で核弾頭搭載可能な精密攻撃ミサイルによる戦闘能力向上に狂奔している習近平政権、ならびに欧州全域を射程に収める地上発射型短距離弾道ミサイル「イスカンデル」

や水上発射型巡航ミサイル「カリブル」などの核戦力の増強に狂奔し、もって旧ソ連邦の版図回復をはかろうとしているプーチン政権に対抗して、アメリカ帝国主義国家の核戦力を強化することに狂奔しているのがバイデン政権なのだ。

〔補1〕バイデン政権は昨秋、国家安全保障戦略（十月十二日）、国防戦略（十月二十七日）をそれぞれ発表した。うちだされた新たな世界戦略の骨子は、以下のようなものである。①「自由で開かれた、繁栄し、安全な国際秩序」を確保するためには「国際秩序を再構築する意図と、それを実現する経済、外交、軍事、技術の力を併せ持つ唯一の競争相手」たる中国に対抗し、「国際システムのさし迫った脅威」たる「ロシアを抑制する」ことを「最大のグローバルな優先事項」とする。②この目的を遂行するためには、軍だけでなく産業や人などの国力全般への「投資」、「国家連合」の形成、「米軍現代化」という「三つのアプローチ」で臨む。③とりわけ、「経済は安全保障の中核」であり、「より多くのSTEM人材を惹きつけることは国家安全保障とサプライチェーン安全保障にとって優先事項」だと位置づけている。〔二〇二二年十月十二日公表、※「STEM」はScience（科学）、Technology（技術）、Engineering（工学）、Mathematics（数学）〕

B　「技術強国化」阻止を狙った半導体封鎖

バイデン政権が中国封じこめの柱の一つとしているのは、対中国の軍事的安全保障と結びついた経済政策、すなわち「経済安全保障」である。この政権はいま、半導体製造設備および設備に組みこまれたアメリカ由来の技術、材料、人材、これらすべての中国への供給を停止するという超弩級の規制措置を習近平政権に突きつけている。

これに加えて、米商務省の産業安全保障局は、アメリカの市民権や永住権をもつ者は、中国で半導体の開発や製造支援に従事することを禁止すると発表した（昨年十月）。

すでにトランプ前政権は、アメリカ国家の「安全保障」を害することを理由として、スマートフォン基地局などの設置・運用を担ってきた通信機器・端末製造大手の中国企業ファーウェイにたいして、最先端半導体の供給を停止する規制措置をとってきた。けれども、いまやトランプ政権のそれをはるかにうわまわる強力な規制措置の実施に踏みきったのが、バイデン政権なのである。(補2)

軍事的には、政府の強力な統制のもとで「軍民融合」を推進する中国がＡＩやサイバー・量子技術を駆使した兵器開発に突進している現状のもとで、この追求を打ち砕くことこそが、バイデン政権の核心的眼目にほかならない。ウクライナへの軍事侵略を強行したプーチンのロシアは、いま米欧の半導体などのハイテク部品の禁輸によって〝継戦能力〟の枯渇に見舞われている。〝半導体の塊〟ともいうべき精密誘導ミサイルも数が尽き、新たな戦車や誘導ミサイルを生産できないという状況に追いこまれている。この〝半導体封鎖〟の破壊的効果をみてとったバイデン政権はいま、習近平中国にたいして先端半導体の供給を断ちきり締めあげるという強硬策にうってでているのである。

けれども、アメリカは、インテルやクアルコム、ＡＭＤなど世界有数の半導体企業を有してはいるものの、そのほとんどは設計と販売だけをおこなうファブレス企業でしかない。これらのブランドで販売される半導体・とりわけ最先端の半導体の製造は、台湾のＴＳＭＣや韓国のサムスン電子などの受託製造企業(ファウンドリー)に多くを依存しているのであって、アメリカ企業は、(インテルを除いて)みずから設計した製品を実際に製造し量産する能力をほとんどもってはいない。このゆえに、バイデン政権は、先端半導体の製造能力をもつファウンドリー企業であるＴＳＭＣやサムスン電子がアメリカの対中規制に従うことを強力に求めているのである。

それだけではない。バイデン政権は、このアメリカ政府の措置に欧州諸国企業が従うことをも命じているのだ。たとえば、回路線幅が七ナノメートル以下の先端半導体の生産に不可欠な極端紫外線(ＥＵＶ)露光装置にかんして世界市場を独占しているのは、オランダのＡＳＭＬであるが、この装置にはアメリカ由来の技術が組みこまれているがゆえに、ASML製の半導体製造装置もまた対中供給規制の対象としているのである。

　バイデン政権は昨春いらい、中国（ロシア）の介入・攪乱を封じるかたちで新たな半導体供給網を構築するために、米・日・韓・台の四ヵ国からなる〝半導体同盟〟＝「Chip4」の結成を、これらの諸国に呼びかけてきた。さらに、五二〇億ドル（約七兆二〇〇〇億円）の補助金・奨励金を盛りこんだCHIPS法を制定し（昨年七月）、これにもとづいて現在、インテル、米マイクロン・テクノロジー、TSMC、サムスン電子などの新たな製造拠点開発がアメリカ国内ですすめられている。そして、これら補助金を受領した企業には二八ナノメートル以下の半導体設備の対中投資を禁止しているのである。

　バイデン政権のこうした禁輸措置によって中国の半導体製造産業は致命的な打撃を受けている。二〇一五年に発表された「中国製造2025」において習近平は、半導体自給率を二〇二五年に七〇％まであげることを最重点目標としてきたのであるが、これは頓挫した。

　バイデン政権が強行している、中国への最先端半導体および製造技術・人材の供給を大幅に規制するという激烈な規制措置。それは、第二次世界大戦に際してアメリカ帝国主義が日本帝国主義にしかけたＡＢＣＤ包囲網になぞらえられるほどの攻撃的なものである。

だがしかし、こうした露骨な〝中国敵視〟の措置によっては、同時にアメリカ経済は甚大なダメージをこうむり〝返り血〟を浴びることもまた明らかなのである。世界最大の電子機器・自動車市場を擁し半導体装置の大きな消費市場である中国からの撤退を強制する（回路線幅二八ナノメートル以上のローエンド半導体は除く）バイデン政権の措置にたいして、アメリカ半導体工業会（ＳＩＡ）や半導体製造装置メーカー（アプライドマテリアルやラムリサーチ経営陣など）から猛然たる反発が噴きあがっている。〔米企業テスラが中国で生産している自動車には回路線幅七ナノメートルのＡＩ半導体が搭載されており、二六年には五ナノメートルのＡＩ半導体を搭載予定となっているのであって、バイデン政権の規制措置によってこれらの計画はカベにつきあたるにちがいない。〕

近い将来に台湾をめぐって中国との軍事的激突という事態にいたることをも想定しているバイデン政権は、それに備えてたとえ台湾や韓国から半導体の輸入が途絶えたとしてもそれにたえることのできる国内生産体制を構築することを急いでいる。アメリカ半導体産業のファブレス化が必然的にもたらした高性能半導体の製造能力上の欠損、これを国家安全保障上の深刻な脆弱性ととらえたバイデン政権はいま、「Ｃｈｉｐ４」という国際協力体制を創出すると同時に、先端半導体のアメリカ国内での生産・供給体制を、すなわち「有事」に備えたサプライチェーンを構築することに血眼となっているのだ。

〔補２〕二二年にバイデン政権が実施した中国にたいする主要な半導体規制策。

①ＣＨＩＰＳ法――補助金受領企業は中国で二八ナノメートル以下の半導体設備への投資を禁止する。

②半導体製造施設関連エンドユース規定――中国先端半導体製造企業への設備、技術、材料の販売を禁止する。

③スーパーコンピュータ関連エンドユース規定——スパコン開発、製造に使われる電子部品、装置、材料、技術の対中輸出禁止。

④エンティティーリスト（EL、禁輸対象リスト）掲載企業二十八社規制——EL掲載二十八社への製品、技術の提供禁止。

⑤先端コンピューティング直接製品規制——GPU（画像処理装置）など先端半導体チップおよび関連製品の中国向け輸出の全面禁止。

⑥米諸企業・アメリカ人の中国半導体製造関与禁止——米国永住権を取得した中国人も対象とする。

C　「グローバルサウス」諸国の抱き込み

バイデン政権はこんにち、アフリカ・アジア・中南米などのいわゆる「グローバルサウス」の途上諸国にたいして、食料援助やインフラ整備などの経済援助を餌として、それらの諸国をアメリカの勢力圏に組みこむ策動を強化している。昨年十二月中旬に、バイデン政権は、米アフリカ首脳会議（十三～十五日）をワシントンで開催し、今後三年間で気候変動対策などのため総額五五〇億ドル（約七兆五七〇〇億円）の支援を表明した。アフリカ諸国四十九ヵ国とアフリカ連合の代表が参加したこの会議において、バイデン、国防長官オースティン、国務長官ブリンケンは、口ぐちに気候変動、エネルギー、保健、宇宙など各分野ごとの協力強化の意義を喧伝し、アメリカの三〇〇社以上の民間企業による貿易や投資の促進を約束してみせたのだ。

こうしたバイデン政権のアフリカ諸国からめとりの策動は、このかん同地域に足場を着々と築いてきた中国・ロシアへの対抗策にほかならない。アフリカ諸国にとって十二年連続で最大の貿易相手国（二〇二〇年現在）となっている習近平の中国は、「一帯一路建設」という名の巨大経済圏構想にもとづいてアフリカ諸国への港湾・鉄道などの投資拡大に拍車をかけ、二一年には総額四〇〇億ドルの支援を発表している。ロシアもまた「ロシア・アフリカ経済フォーラム」（一九年）を開催し、武器輸出や軍事訓練の提供などを拡大している。それだけではなく、ロシアの民間軍事会社「ワグネル」の傭兵を中央アフリカやマリなどのアフリカ諸国に送りこみ、治安や軍事作戦への支援を強化しているのである。

ソ連邦崩壊いこうにアメリカ帝国主義が主導してきた〈経済のグローバル化〉によってアフリカをはじめとする途上諸国は、おしなべて米欧の多国籍企業の収奪にさらされ貧困に叩きこまれてきた。これにつけこんでアフリカなどの軍事政権にたいする経済援助などの関係を強化してきたのが中国でありロシアである。ウクライナ侵略を強行したロシアにたいする国連安保理の制裁決議をめぐって、多くのアフリカ諸国が「棄権」を表明したことに、それは象徴的にしめされている。

バイデン政権は、こうした中・露にたいする劣勢を巻き返しアフリカ諸国との政治的・経済的・軍事的協力関係を強化するために、「グローバルサウスとの連携」を旗印としてインフラ支援や軍事援助をおこなうことをたくらんでいるのだ。その場合に、途上諸国にたいして「自由・民主主義・人権」などの欧米的イデオロギーをゴリ押しするという歴代のアメリカ政府の手法を修正し〝緩やかに〟囲いこむことを策しているのがバイデン政権なのである。

Ⅲ　多国間軍事同盟再構築への猛進

今世紀なかばまでに「社会主義現代化強国」へと飛躍し「世界の中華」として「人類運命共同体」を領導するという世界戦略を掲げ対米挑戦を強める習近平の中国にたいして、このままでは「世界の覇者」の座を奪われかねないという危機意識を募らせた没落帝国主義アメリカのバイデン政権は、だが独力で中国を封じこめる政治的・軍事的・経済的な力を喪失している。このゆえに、中国を封じこめるための貿易規制を実施しようとして、日本・韓国などのアジア諸国や欧州諸国を動員することを画策しているのである。

中国がいまや軍事的にも経済的にもアメリカを凌ぐ国際的地位を獲得する日が間近に迫っているだけ

ではなく、この中国と〝反米連合〟を結成しているロシアがいま欧州を舞台として（さらにはアジア太平洋地域においても）ウクライナへの軍事侵略の強行というかたちで、猛然と対米挑戦にうってでている。そして、このロシアの全面的バックアップを受けた北朝鮮の金正恩政権がマッハ5以上の速度で飛行する極超音速の弾道ミサイルや変速軌道ミサイルの発射実験をくりかえし、核保有国としての地位を確保している。

このことにアメリカ帝国主義のバイデン政権は焦燥感を募らせている。とりわけ、「ゲーム・チェンジャー」と呼ばれる極超音速兵器の開発・実戦配備においては、中国・ロシアに大きく水をあけられているがゆえに、アメリカが日本を従えて開発・配備してきたミサイル迎撃システムはすでに無力化してしまっている。

このゆえにバイデン政権は、極超音速飛行・AI・量子暗号通信などの高度技術を駆使した兵器開発に狂奔する中・露を封じこめるために「強固な民主国家による同盟・多国間枠組み」を創出するという世界戦略をうちだし、これにもとづいて日・豪・韓およびNATO同盟諸国の軍事的力のみならず経済的・技術的力を総動員して対中・対露の包囲網をつくりだそうとしている。

東アジアにおいては、米・英・豪の核軍事同盟たるAUKUSに日本や欧州諸国を加えて、アジア太平洋版NATOというべき多国間軍事同盟を構築しようとしている。同時に、AUKUSや米・日・豪・印のクアッドやIPEF（インド太平洋経済枠組み）の枠組みを利用して、半導体・AI・5G・量子技術・自動運転・宇宙開発、さらにはレアアースなどの軍民両面にまたがる高度技術や希少資源にかんする、中国を排除してのサプライチェーンの構築を急いでいるのである。

だが、生産拠点としても販売市場としてもいまなお中国に比重をおいている諸国・企業は、バイデン政権による強力な対中ハイテク規制に難色をしめしている。

韓国政府およびサムスン電子は、規制措置の実施を一年間は猶予することをアメリカ政府に要請したのであった。国内自動車メーカー三社が毎年の販売台数の三分の一を中国市場に依存しているドイツは、EV用の電池で中国と提携強化することを追求している。ドイツは、EDA（半導体設計ツール）や半導体製造装置、材料などの半導体関連技術を有しているのであって、「対中貿易重視」を標榜しているドイツ・ショルツ政権が、バイデンの制止を振り切って中国との技術協力に踏みきる可能性をもほのめかしている。

こうした抵抗をしめす同盟諸国を懐柔しながら、先端半導体・高度技術を中国へ供給するサプライチェーンのいっさいを遮断する強硬な対中デカップリング・包囲網づくりのために、同盟国にもこれを強制する姿勢を強めているのがバイデン政権である。

このことは、アメリカ帝国主義が中国封じ込めのために、〈経済のグローバル化〉をいまや猛烈に逆回転させはじめたことを意味する。ここに、かつての「一超」帝国主義アメリカが主導してきた〈資本のグローバライゼーション〉の終焉が画されたといえるのだ。

ロシアのウクライナ軍事侵略によっていよいよ決定的となった米—中・露の全面的な激突のもとで、二十一世紀現代世界はいま、一九六二年のキューバ危機いらいの熱核戦争勃発の危機に直面している。

「NATOの東方拡大阻止」を叫び、欧州において小型戦術核兵器の使用に踏みきる衝動を高めている侵略者プーチンのロシア、このロシアを陰に陽に支援しつつ同時に、「台湾の完全統一」を絶叫し弾道ミサイル・空母などの飛躍的な軍備増強に突進する習近平の中国。これを中露の「力による一方的な現状変更」とみなしその動きを抑えこむために、「専制主義にたいする民主主義の戦い」なる旗印のもとに日・豪・韓および欧州の同盟国を総動員しての核軍事体制の構築に血眼となっているのがバイデンのアメリカなのである。

いま欧州および東アジアを舞台として、米—中・露の激突が一気に熾烈化している。

すべての労働者・人民よ！　さし迫る熱核戦争勃発の危機を突き破る反戦の嵐を敢然と巻き起こせ！

（二〇二三年一月八日）

23春闘の爆発をかちとれ

大幅一律賃上げ獲得！政府・独占資本による物価値上げ反対！
二三春闘の戦闘的高揚をかちとろう
――2・5労働者怒りの総決起集会 第一基調報告――

水田育子

二三春闘をたたかう決意も固く結集されたすべてのたたかう労働者のみなさん。戦争と貧窮の強制を打ち砕き、労働者の団結した力で今春闘を戦闘的にたたかいぬこうではありませんか！

私たちは今、激しいインフレのもとで春闘をたたかっています。政府・独占資本家どもは電気・ガスなどの公共料金を今春には再び三〇～四〇％も引き上げるなど、生活必需品の価格を二度三度と引き上げようとしています。すでに昨年、食料品だけでも二万五〇〇〇品目以上も値上げしてきたうえに、さらに値上げをもくろんでいるのです。

ところが、「連合」指導部は、この歴史的な物価高騰のただなかにあっても、超低率の賃上げ要求「指標」しか掲げていません。彼ら労働貴族は、ネオ産業報国会の本性をむきだしにして、あらかじめ春闘敗北のレールを敷き、このレールに労働者を引

きずりこもうとしているのです。断じて許せません。

みなさん！　私たちは、このような「連合」指導部を弾劾しのりこえ、今こそ〈大幅一律賃上げ獲得〉のスローガンを高だかと掲げて、今二三春闘をわれわれ日本労働者階級の反転攻勢としてくりひろげようではありませんか。

Ⅰ　独占資本家どもの賃金抑制攻撃を打ち砕け！

経団連会長・十倉は「物価高を考慮する」などと口先で言うだけで、「連合」のわずかな賃上げ要求「指標」にたいしても〝最近の妥結水準から乖離している。高すぎる〟などと拒絶しています。各企業経営者が賃上げを抑圧するのは当然だ、と労働者に突きつけているのです。資本家どもは労働者を搾れるだけ搾り取って今や五〇〇兆円を超える内部留保を抱えこんでいるくせに、どこまで強欲なのでしょう。

おまけに経団連は、賃上げ分に定期昇給分も入れて「ここ数年は物価高を上回っている」などと、あたかも実質賃金が上がっているかのような大ウソをついてもいるのです。許しがたいではありませんか。

年明け早々から独占資本家のごく一部が「六％上げる」とか「一律ベア七〇〇〇円」とかと発表したことが誇大宣伝されています。しかし独占資本家どもも中小企業の経営者も、あくまでも「原材料費の値上げによるコスト増」とか「研究開発投資・設備投資の必要性」とかと強弁して賃上げを徹底的に抑えこもうとしているのです。

こうした賃上げ抑制を強める資本家どもに恭順の意を示しているのが、「連合」指導部ではないか。現在の激しい物価高騰のもとでわれわれ労働者、なかでもコロナ・パンデミック恐慌のもとで困難を強いられてきた非正規雇用や中小零細企業の労働者、その家庭は貧窮のどん底に叩きこまれています。ところが、「連合」指導部は、「賃上げ分三％程度、定期昇給分と合わせて五％程度」などという超低率の「指標」しか掲げないのです。労働者の貧窮をまったく無視しているではありませんか。

彼ら「連合」指導部も日本の賃金水準が先進国のなかでも最低となっていることを指摘してはいます。しかし、「賃金水準の引き上げは中期的・持続的な課題だ」と称して棚上げして、今春闘で賃上げをかちとる気などまったくないのです。

「連合」会長・芳野は、一月二十三日には、経団連会長・十倉に招かれて「労使懇談会」に参加しました。この十倉は、先ほど述べたように、わずか「三％程度」という賃上げ要求の「指標」でさえ拒否した輩です。ところが、その十倉に向かって芳野は、「デフレマインドを払拭し、物価と賃金が持続的に上がる経済を実現するという方向性は一致している」などと表明したのです。そこで十倉から「こんなに連合と一致したことはない」などという大賛辞をもらい、喜色満面に浮かべてみせたのが芳野です。

みなさん！　独占資本家どもにつき従う「連合」指導部による春闘の抑圧を断じて許さず、二三春闘の戦闘的高揚をかちとるべく奮闘しようではありませんか！

Ⅱ　政府主導の産業構造大再編と一大リストラ攻撃

ロシアのウクライナ侵略によって米—中・露の対立がいよいよ激化しています。中国による台湾侵攻に危機感を募らせ、米—中激突の最前線に立とうとしている日本の岸田政権。この政権は、日本帝国主義国家の生き残りをかけて、軍事的にはアメリカとともに対中国の戦争をやれる国に飛躍するために先制攻撃体制の構築につきすすんでいます。それと同時に、経済的には、日本の立ち遅れがあらわとなったデジタル化（ＤＸ）や脱炭素化（ＧＸ）を中心とする産業構造への再編をすすめるために、労働者に犠牲を強制する新たな攻撃をかけてきているのです。

首相・岸田は、日本の産業競争力を強化するために、政府が主導してＤＸやＧＸなどに関連する産業・分野を、そして軍事産業を育成していこうとしています。半導体・ＡＩ・量子コンピュータなど、軍民両用のこの分野での立ち遅れに危機感を募らせて、膨大な国家資金を投じて独占資本やスタートアップ企業を支援する体制を整備していこうとしているのです。熊本に建設される台湾半導体製造会社ＴＳＭＣの工場など、半導体関連だけでも二兆円規模の税金を投入しようとしています。中小企業にたいしては「事業再編・生産性向上」をおこなえば賃上げを支援するという。こうした事業再編・生産性向上支援策によって大企業の事業再編や中小企業の業態転換がすすめられ、そこで働く労働者は労働強化や非正規化や首切りという犠牲を強いられようとしています。一切の犠牲を労働者・人民に強制して事業再編・産業再編につきすすむ独占資本家とその支援に狂奔する岸田政権を弾劾しましょう！

今、首相・岸田は「賃金が上がる構造をつくる」と称して、「年功型賃金・長期雇用・新卒一括採用」という日本型労働慣行を最後的に破壊することにつきすすんでいます。その政策が「労働移動の円滑化・リスキリング・日本型職務給確立の三位一体の労働市場改革」なるものです。産業構造・事業構造の再編をすすめるために、必要なスキルをもった労働者を必要なときに雇い、不要となったら解雇できる雇用システムをつくることをもくろんでいるのです。この政府に支えられて資本家どもは、ＤＸやＧＸによって縮小する事業や淘汰される中小企業で働く労働者の解雇をさらにおしすすめようとしています。

すでに政府は、資本家が労働者の解雇を容易におこなえるように「解雇の金銭解決制度」の導入を急いでいます。また個人請負労働者の拡大を容認し促進するための法整備をおこなおうとしているのです。私たちは、今春闘において、政府・資本家どもによる産業再編にともなう一切の犠牲強要に断固として反対しようではありませんか。

Ⅲ　賃上げ闘争を抑圧する「連合」指導部を許すな

みなさん！　私たちは、「連合」指導部による春闘破壊を許さず、彼らをのりこえてたたかわなければばなりません。

①今春闘にむけて「連合」芳野指導部が掲げたわずか「三%程度」という賃上げ要求の「指標」なるもの。それは、要するに、現下の物価高騰下でも「三%程度以上の賃上げ要求をするな」と産別・労組の労働者を抑圧するための許しがたいものではないか。

②しかも、この「三%程度」なるものは「指標」にすぎず統一要求でさえありません。彼ら労働貴族は「賃金水準闘争」と称して、賃金水準が相対的に高い大企業労組では「三%程度」の賃上げさえ要求しないことを認めています。「連合」指導部は、「産別自決」の名のもとに、賃上げ要求も妥結も各産別・各労組がそれぞれの産業・企業の経営状況などにふまえておこなえばいいと指導放棄しているのです。これは春闘破壊いがいのなにものでもない。

彼らは、「連合」結成いらい一貫して、ストライキなどの実力闘争にとりくむことを徹底的に弾圧してきました。その彼らは、数年前から、賃上げの統一要求を掲げることじたいを放棄しているのです。それは、「企業別労組の産別勢揃い・横並び」という日本型賃金闘争としての春闘方式そのものの否定です。彼ら「連合」労働貴族は、企業ごとに労組と資本家とが〝企業の経営に責任をもつ当事者同士〟として〝企業の持続的成長のための労使協議〟をする——そのようなものに春闘を変質させようとしているのです。許しがたいことに、すでにトヨタをはじめとする大企業労組の労働貴族は、経営者の経営方針を組合員に周知徹底する場に春闘を歪めています。私たちがつとに暴きだしてきたように、その根拠は、彼ら労働貴族が骨の髄まで「労使運命共同体」イデオロギーに汚染されていることにあるのです。

③彼ら「連合」指導部は、「日本全体の生産性を引き上げ、成長と分配の好循環」をめざす起点として「人への投資」をせよ、などと言っています。それは、資本家どもに「人への投資をすれば労働者はスキルを高めて企業のために働きますよ」と進言することを意味する犯罪的言辞ではないか。彼ら労働貴族は、低賃金を強制しつつ徹底的な労働強化によ

って労働者を強搾取している資本家どもにすり寄っているのです。資本家のように、労働者を投資対象とみなして「人への投資」などと言う彼ら労働貴族を断じて許してはなりません。

「連合」指導部は、資本家どもによる賃金支払い形態の改悪に呼応して「働きの価値に見合った賃金水準」なるものを主張しています。これこそは、資本家が労働者にたいしてキッチリ「人事評価」をするようにと労働組合の側から要請するものであり、これほど反労働者的なことはありません。それは、経営者や管理者が労働者にたいして労務管理を強化することを認め、労働者同士を分断することに手を貸すことではないか。

④彼ら「連合」指導部は、今二三春闘を「産業・企業の将来展望を話し合う」ための「未来づくり春闘」と呼んでいます。彼らの言う「未来」とは、要するに、「労働者のための未来」ではなく「資本家のための未来」ではないか！　ふざけるな、と言いたい！　彼らは「GDPも賃金も物価も安定的に上昇する経済へとステージを転換していく」などとほざき、そのための方策をめぐる政労使協議に埋没しています。芳野は、安倍国葬に参加したときに語った「政労使三者構成の一角としての責任」、これを振りかざして政府会議である「新しい資本主義実

現会議」や「GX実行会議」などに参加しています。芳野は、岸田政権・独占資本家どもと一緒になって産業構造の再編支援策や労働政策の改悪案をつくっているのです。許しがたいではありませんか。

私たちは、「連合」指導部による春闘破壊、「日本経済再生のための政労使協議」への解消を許さずに春闘の戦闘的高揚のためにたたかいましょう。

Ⅳ　成果主義的賃金支払い形態の導入に反対する闘い

このような闘いをおしすすめていくために、ささやかではありますが、私が職場で大幅な賃上げを一律に獲得することをめざし、職場の現状の分析にふまえて、どのように方針を解明しそれにのっとってどのようにイデオロギー闘争や諸活動をくりひろげてきたかについて簡単に紹介させていただきます。

私はこのかん、経営者による成果主義的な賃金支払い形態の導入に反対し、組合員全員の賃上げをかちとるためにたたかってきました。それと同時に、生産過程の合理化に反対する闘いをすすめてきました。私の働く職場では、労働者はいくつかの種類の労働を同時にこなすように強制され生産性をあげることを求められて、頭も体も疲労困憊しています。経営者は労務管理を強化するテコとして、従来の年功序列型の賃金支払い形態から成果主義的なそれに切り替えてきました。

私はこれまで学び考えたことを武器として組合員と論議し、労働者間の分断を許さず、組合運動を左翼的にすすめる仲間の団結を組合内につくり、経営者による合理化・労務管理強化の攻撃を許さない闘いをつくりだしてきました。

職場では「成果主義で賃金に格差をつけることに反対！」とはなかなか言えません。「がんばるのが嫌な人」と受けとられるのです。「がんばらないやつが同じ額の賃金をもらうのは不公平だ」と反論されます。このようなことを言う組合員にたいしては次のように訴えました。「かつて会社役員は『ニンジンをぶら下げ、くらいつくために必死にさせるのだ』と言っていた。経営者は成果主義の導入によって労働者を分断し、それぞれにスキルアップと生産性向上に励むように仕向けている。それによって労働者は労働強化に苦しんでいるではないか」。また、「会社が評価するのは、経営者に反抗せず、彼らが求めることに従って働く労働者ではないか」と、人事考課が労務管理の観点からおこなわれていることを暴きだしてきました。こうした論議をつうじて日々の労働に追いつめられている己れと仲間のことを考えるように促したのです。

「賃金に格差があればモチベーションが上がっていい」という若い組合員が少なくありません。そのような組合員にたいして私は、「労務管理の強化によって苦しんでいる人が隣にいて、一人だけモチベーションが上がりますか」と批判しています。彼らに共に働き共にたたかう仲間として労働組合のもとに結集すべきことを訴え、団結してたたかう力を強化すべくたたかっています。

また、私は悩みながら組合員と話をしていくうちに気がつきました。仕事でしか相手を見ない組合員も、同僚が中学校に入学する子どもの制服を買えずに困っていることなど、働く仲間の家族や生活のことに思いをはせるような話をすると、少し立ち止まって考えてくれるのです。

こうした働きかけによって良心的組合員たちは私に、「みんなの賃金が上がらなければダメだ」「みんな頑張っている。頑張っていない人などいない」ときっぱり言いました。私は今この彼らとともに闘いをつくりだしているのです。

私は今春闘においても、赤字だから賃上げは無理と低額回答で一発妥結しようとしている組合執行部を許さず、最大限の上積みをかちとるためにたたかっています。職場の労働者の団結を基礎にして労働組合を戦闘的に強化しつつ、「労務管理強化反対！生産過程の合理化反対！成果主義による賃上げ額の格差反対！」の闘いを創造し、大幅かつ一律の賃上げをめざして奮闘する決意です。

V ＜大幅一律賃上げ獲得＞をめざして闘おう！

すべてのたたかう労働者のみなさん！　春闘を破壊し日本経済再生のための政労使協議に埋没する「連合」指導部を弾劾し、これをのりこえて、今二三春闘の戦闘的高揚をかちとろうではありませんか。
（1）われわれは、歴史的インフレのまっただなかでむかえた今春闘においてこそ、大幅な賃上げをたたかいとろうではありませんか。
先に述べたように「連合」による春闘の歪曲を内側からのりこえるために私たちの＜大幅一律賃上げ獲得＞のスローガンが、今ほど高く掲げられるべきときはありません。

政府・独占資本家どもは今、「構造的賃上げ」などと言っています。しかし、これは労働者階級をあざむく、ごまかしの言辞でしかありません。プーチンの戦争と米・中激突、そしてグローバリズムの終焉のなかで、日本の政府・支配階級はエネルギー・食糧の危機に見舞われています。しかもＤＸやＧＸにおいて決定的な立ち遅れをあらわにしています。この日本独占資本の立ち遅れを打開するために、政府・独占資本家どもは、いわゆる「高スキル人材」

を確保することに躍起となっているのです。まさにそのために、「構造的賃上げ」と言っているにすぎないのです。彼らが大多数の労働者にはあくまでも低賃金を強いようとしていることは明らかなのです。

そもそも、政府・資本家どもはこれまでいったいなにをやってきたのか。バブル経済崩壊から約三十年間、資本家どもは労働者の賃金を絶えず引き下げつづけてきたではないか。それだけでは足りず、二〇〇〇年代に入ると、正規雇用労働者を減らして低賃金の非正規雇用労働者や限定正社員を激増させ、賃金総額を徹底的に抑えつづけてきたではないか。さらに、コロナ・パンデミックのもとでは非正規労働者の雇い止め、賃金カット、人員削減を強行してきたではないか。

それだけではありません。自民党政府は、この約十年間、アベノミクス・「異次元の金融緩和策」によって大企業・富裕層を肥え太らせ、その対極において労働者・人民に貧窮を強いてきた。いまや貧富の格差は極限的に拡大している。われわれがつとに暴いてきたように、安倍が言ったトリクルダウン、「企業が儲かればやがて労働者の賃金も上がる」などというのは、文字通りまやかしでしかなかったことは、いまや誰の目にも明らかではないか。

だがみなさん！　この許しがたい政府・独占資本家どもにつき従ってきたのは、いったい誰なのだ！　ほかでもない「連合」指導部ではないか。この労働貴族どもは今、かつてない物価高騰で労働者が苦しんでいる今も、労働者の賃上げ要求を抑えこんでいるのです。

彼らは、こんにちこの時も、賃金闘争を放棄し、ストライキを構えることも統一闘争を組むことも抑圧して春闘を破壊しています。まさに「連合」指導部は、ネオ産業報国会の頭目としての本性をむきだしにしているのです。

私たちは、このような「連合」指導部の、とる気もまったくない超低率の「指標」を掲げた春闘なるものを、断固としてのりこえて大幅な賃上げを一律に獲得することをめざしたたかいましょう。

私たちが今掲げている∧大幅一律賃上げ獲得∨のスローガン――それはまず第一に、超低額の要求をおずおずと掲げているにすぎない「連合」など既成指導部による春闘の歪曲をのりこえていくためのわれわれに独自な闘争＝組織戦術を集約的にしめすスローガン的形式なのです。

私たちは、このスローガンに集約される闘争＝組織戦術をそれぞれの産別・労組・職場において、組合の要求として具体化していかなければなりません。

第二に、このスローガンは同時に、春闘をたたかう労働者が、この闘いをとおして己れを階級としてめざめ、高め、団結していくためのスローガンでもあります。「賃金闘争とは何か」、「賃金とは何か」、「労働者とは何か」をみずからに問うていくためのスローガンなのです。

われわれ賃労働者は資本家によって低賃金を強いられ奴らの労務管理のもとで日々疎外された労働を強いられている存在です。そして、われわれを搾取して利潤を得ているのが資本家どもです。賃金闘争というのはまさに、労働者階級と資本家階級とのぶつかり合いなのです。したがって∧大幅一律賃上げ獲得∨は、本質的には、われわれ労働者じしんが賃金奴隷からの解放をも自覚しその決意をうちかため、そして労働者階級として団結しつつ、来るべきものをめざして前進していくためのスローガンでもあるのです。

私たちは春闘をたたかうただなかで同時に、∧大幅一律賃上げ獲得∨のスローガンに秘められたこのような労働者階級としての自覚と団結と闘争にかかわることをめぐっても組合で、職場で論議し前進していこうではありませんか。

そして、私たちは、今春闘の戦闘的高揚とそのただなかでうちかためていく労働者階級の階級的団結とを基礎として、政府・独占資本家階級と一体化して「救国」産報運動をすすめる「連合」そのものをつくりかえることをめざしていきましょう。私たちは、労働組合を労働者階級の団結にふさわしいものへとつくりかえるために、「連合」の脱構築をめざしてたたかいましょう。

（2） みなさん！ 独占資本家どもは産業再編・

事業再編にともなう解雇・転籍、遠距離の配転、賃下げ、労働強化、非正規雇用・個人請負への切り替えをすすめようとしています。これを後押しするために解雇規制の緩和などをすすめようとしているのが、岸田政権です。私たちは、「失業なき労働移動」とか「公正な移動」とかと称して事業再編にともなう労働者への犠牲強要を受け入れている「連合」指導部を許さず、この一大リストラ解雇攻撃を打ち砕こうではありませんか。

粘り強く組合員と論議をつくり、職場から「労働者に犠牲を転嫁するな！　資本家に勝手なことはさせない！」という声を大きくつくりだし、反撃しましょう。

（3）私たちは賃金闘争と同時に、資本家どもによる生活必需品の値上げや政府による大衆収奪、すなわち公共料金引き上げ・社会保障切り捨て・軍事費大増額のための大増税に反対する闘いを断固としておしすすめよう。

（4）これらの闘いと同時に、不屈にたたかうウクライナの労働者・人民と固く連帯し、日本の地でウクライナ反戦闘争の高揚をかちとりましょう。日米軍事同盟の飛躍的強化と日本の軍事強国化、憲法改悪という岸田政権の画歴史的な攻撃をなんとしても打ち砕きましょう。これについては第二基調報告で詳しく報告されます。

（5）私は確信します。六十年前、国鉄戦線をはじめとする諸戦線の先輩労働者たちの闘いを出発点として、先輩方がたたかって創造されてきた組織現実論。これに学び、また仲間の闘いの教訓をわがものとしてうってでよう。そうすれば、私たち労働者階級の闘いは必ず前へ、前へと切り開いていくことができるのです。

産業構造の転換策について資本家と協議する場へと春闘をねじ曲げる「連合」芳野指導部。彼らを許さず、二三春闘の大高揚をかちとるために、ここに集まった、あらゆる戦線でたたかうすべての仲間は団結し、日本労働者階級の最先頭で奮闘しましょう。

すべての職場で二三春闘を力強くたたかいぬこう！　ともにたたかおう！

改憲阻止！　大軍拡反対！
反戦・反安保の闘いを！

――2・5労働者怒りの総決起集会　第二基調報告――

武　山　毅

私は、いま岸田政権がすすめようとしている改憲と大軍拡の総攻撃を労働者・人民の総力を結集して打ち砕くべきことを訴えたい。岸田政権は昨年十二月に、日本国家を一気に軍事強国につくりかえることを狙って、「安保三文書」を閣議決定した。日本がアメリカとともに、中国を主敵とした「戦争をやれる国」へと突き進むことを宣言したのだ。われわれは大幅一律賃上げ獲得の闘いと同時に、改憲阻止、大軍拡阻止の闘いを断固としてたたかいぬこう！

プーチンの侵略に抗して不屈にたたかっているウクライナの人民と連帯し、ウクライナ反戦闘争を推進しよう！　戦争と貧困と強権支配に抗してたたかう世界のプロレタリアート人民と連帯してたたかおう！

1　日米軍事同盟の対中攻守同盟としての強化反対！　日本の軍事強国化反対！

さる一月十三日、首相・岸田は「安保三文書」を手土産にワシントンを訪問し大統領バイデンと会談をおこなった。敵基地先制攻撃体制の構築、そのための軍事力大増強と軍事費の大増額を誓った岸田の肩を抱いて、バイデンは「真のリーダーであり、真の友人だ」などとほくそ笑みながら歓迎してみせた。

「安保三文書」こそは、日本がアメリカの軍事戦略に従属して日本国家の新たな軍事戦略をうちだしたことを示すものにほかならない。岸田政権は、中国を主敵としてアメリカとともに戦争をやれる国として、これまで建前としてではあれ掲げてきた「専守防衛」を公然と投げ捨て、敵基地を先制的に攻撃する体制を構築することを宣言したのだ。それは労働者階級・人民の頭上に振り下ろされた、画歴史的な一大攻撃であり、われわれ革命的左翼はこの攻撃を日本労働者階級の最先頭にたって打ち砕かなければならない。

プーチンのロシアによるウクライナ侵略戦争の開始から一年。ここ東アジアにおいても、アメリカを蹴落とし世界の覇者たらんとする習近平の中国と、これを阻止せんとするバイデンのアメリカとの対立が日々激しさを増している。

中国・習近平政権は武力をもって台湾を併呑する策動を強め、台湾周辺や沖縄近海などで連続して軍事演習を強行している。今世紀半ばまでにアメリカを追い越し「世界の中華」として君臨するという戦略目標を実現するために、軍事的・政治的・経済的の対米挑戦に拍車をかけている。このネオ・スターリン主義中国の習近平政権にたいして、没落著しいアメリカ帝国主義のバイデン政権は、「自由と民主主義」を掲げて同盟諸国をかき集め対抗しようとしている。

昨年十二月には、米空軍の偵察機と中国軍の戦闘機とがわずか六メートルの至近距離にまで接近するという一触即発の危機的事態さえもが引き起こされた。相互対抗的な軍事行動がくりかえされ米中衝突、第三次世界大戦勃発の危機が日々醸成されているのだ。

米―中対立を基軸とした世界大的な戦争勃発の時代に突入した現代世界において、バイデンの要請に応えて、戦後の日本国家が掲げてきた「専守防衛」の「安保防衛政策」を公然と転換し、敵とみなした国（中国および北朝鮮）の軍事基地・政治中枢を先制的に攻撃する軍事システムの構築にふみだしたのが岸田ネオ・ファシズム政権である。まさにこれは、日米軍事同盟を文字通りの攻守同盟として強化する画歴史的攻撃なのだ。

すでに岸田政権は、日本国軍を米軍の補完部隊として一体化させ、米軍とともにたたかう軍隊へと強化する攻撃に着手しつつある。対中（対北朝鮮）の先制攻撃体制を構築するために、敵のミサイルの射程圏外から攻撃することが可能な長射程ミサイルの開発・配備や、アフガニスタンやイラクでムスリム人民を無差別に殺戮してきた巡航ミサイル「トマホーク」を大量に購入し配備しようとしている。沖縄の辺野古新基地建設の強行をはじめとして、宮古島、与那国島へのミサイル部隊の配備など対中国戦を想定した南西諸島の軍事要塞化をすすめているのだ。さらに、日本国軍の指揮命令系統を強化するために「統合司令官」を新設しようとしている。これは、米軍「インド太平洋司令官」のカウンターパートであり、自衛隊を司令部から末端部隊まで米軍と一体化させ強化しようとしているのだ。

こうした軍事力強化の財源として、二〇二三年度予算の軍事費を今年度よりも一兆円以上増額し（六兆八〇〇〇億円余）、これとは別に二四年度以降の軍事費に充てる「防衛力強化資金」なるものを設け、これに三兆円以上の巨費を計上した。二七年度にはGDP比二％、一一兆円へと倍増させようとしているのが岸田だ。しかもその財源の一部に「東日本大震災復興特別税」の一部を充て、被災民のみならず労働者・人民を愚弄した増税策をとろうとしている。フザケルナ！　と言いたい。いずれは所得税・消費税の増税や社会保障関連予算の削減など、貧窮に苦しむ人民からの収奪をよりいっそう強化することをたくらんでいるにちがいない。大軍拡のための大増税を打ち砕こう！

さらに岸田政権は、ウクライナでロシア軍が武器・弾薬の枯渇に直面させられているのを見て日本の「継戦能力」の無さを打開するために、政府主導で武器・弾薬の生産など軍事強国を支える軍需生産の基盤とそのための技術的基盤を構築しようとしている。このことは、日本国家がおこなう戦争を支える「死の商人」どもに手厚い財政的支援をおこなうということを意味する。同時に岸田政権は、「防衛装備移転三原則」(かつての「武器輸出三原則」)のさらなる緩和をつうじて兵器の海外輸出を一挙的に拡大することを画策してもいる。衰退著しい日本帝国主義経済の危機ののりきりをかけた岸田政権の軍需生産拡大を許すな！

また、大学を軍民両用技術の研究拠点にするために種々の財政的支援制度を創設し、民間の研究機関・研究者とともに軍事研究に動員することを画策しているのが岸田政権である。

さてみなさん、「安保三文書」の一つ「国家安全保障戦略」のなかで私が注目しなければならないと思うのは、「国家としての力の発揮は国民の決意から始まる」ということが強調されていることです。国民一人ひとりに「我が国と郷土を愛する心を養」い「日本国」を守る決意を促しているのです。さらに、「自衛官、海上保安官、警察官など我が国の平和と安全のために危険を顧みず職務に従事する者の活動が社会で適切に評価されるような取り組みを一層進める」とも言っている。〝国のために命を投げ出す覚悟をもち、軍事費確保のための増税にも黙ってしたがう〟、そんな「決意」を「国民」に強要しているわけです。フザケルナ！ と言いたい。

学校においてはこれまで以上に、「愛国心」教育を徹底するよう圧力が強まり、「国を守る気概」をこどもたちに育むように、教育労働者にたいする締めつけが強まるに違いありません。こんなことは絶対に許せない！

このように岸田は、アメリカの対中強硬策の展開を〈軍国ニッポン〉再興の好機とみなして、軍事のみならず経済・技術、学術・教育などのすべてを動員して今日版の国家総動員体制をつくりあげることに躍起となっているのだ。アメリカの「属国」として、一気に軍事強国化の道を突き進む岸田政権の策動を絶対に阻止しよう！

結集したみなさん。

岸田政権は、敵基地先制攻撃体制を構築することを基軸とする軍事強国へと日本を飛躍させる攻撃の総仕上げとして、日本帝国主義権力者の〝悲願〟である日本国憲法の改悪をたくらんでいる。第九条の破棄と緊急事態条項の新設を柱とする憲法改悪の攻撃は、ことあらばアメリカと一体となって敵とみなした国を先制攻撃する軍事体制を構築したネオ・ファシズム国家日本、その最高法規を策定するという重大な意味をもつものである。われわれは、ネオ・ファシズム憲法の制定を総力で絶対に阻止しなければならない。

2　既成指導部の闘争抑圧・歪曲を突き破り闘おう！

いままさに、大軍拡・改憲という画歴史的な一大攻撃がかけられているにもかかわらず、反対運動の現実はきわめて危機的である。

ゴリゴリの反共主義者・芳野を会長にいただく「連合」指導部は、「安保三文書」の閣議決定について黙認し容認しているだけではない。「連合」を実質上牛耳っている基幹労連のダラ幹どもは資本家と一体となって、軍需生産の拡大をもろ手を挙げて歓迎している始末だ。今日版産業報国会の本性をむきだしにして、労働者が「反戦・平和」の運動に起ちあがることを徹底的に抑圧しているのが「連合」指導部なのだ。「連合」指導部を弾劾しよう！

他方、日本共産党の志位指導部はどうか。委員長・志位は「安保三文書」の閣議決定について、「『専守防衛』をかなぐりすてる『戦争国家づくり』を許さない」と非難し、その撤回を求めると言ってはいる。しかし、そこには「日米安保に反対する」とは一言も出てこないのだ。「野党共闘」が完全にパンクしているにもかかわらず、いまだに立憲民主党におもねり、保守層にも受け入れてもらいたいという淡い願望を捨てきれないがゆえなのだ。

志位は言う。〝岸田は敵基地攻撃能力の保有は日本を守るためのものと言うがそれは「ウソである」、今回の閣議決定の「正体」はアメリカが世界各地でおこなう戦争に日本が参加することなのだ〟と。私は、志位の言っていることは、ホントに日本防衛のためになるなら日米安保は必要だ、と思っている人（保守層やそれに同調する人たち）の意識をそのままにして、「アメリカの戦争のため」の敵基地攻撃体制だから反対しましょう、とすり寄るものでしかないと思います。

岸田政権が、いまや公然と、自衛隊と米軍が一体化して、敵とみなした国家（中国など）の基地や政治中枢を先制的に攻撃する軍事システムをつくるという画歴史的攻撃をかけている。こうした攻撃を打ち砕く反戦の闘いの主体としての自覚を促すことは、「反戦」も「反安保」も抜きさって、〝敵基地攻撃能力は日本防衛のためではなく、アメリカの戦争のためだ〟と説明することによっては、決してなしえないではないか。志位が言っていることは、実質上、政府権力者が投げ捨てた「専守防衛」のボロ旗にしがみつき、これを守ってくださいと岸田にお願いするものでしかない。これでは、敵基地を先制的に攻撃するというシステムを根幹とする軍事強国に日本を飛躍させようとしている岸田政権の、この攻撃のネオ・ファシズム的本質を暴き打ち砕く階級的自覚をつくりだし闘いに組織化することはできない。そればかりか、逆に政府への幻想を煽りたてることになるではないか。労働者階級こそが反戦の闘いの中心的担い手であるという自覚を促すことを阻害する犯罪的なものなのだ。

反戦平和の闘いを歪曲する志位指導部を弾劾しのりこえ、大軍拡阻止・改憲阻止の闘いを推進しよう！

こうしたなかで、わが革命的・戦闘的労働者の仲間たちは職場から改憲反対・大軍拡反対の闘いをつくりだすために奮闘している。

私たち教育労働戦線の仲間たちは、本当に許しがたいことに、以前にもまして超長時間労働の苦しい毎日を強制されている。こうしたなかでも、わずかな時間やちょっとしたきっかけを見つけては、組合員と長時間労働の問題と同時に、ウクライナ侵略戦争や日米安保の問題、軍事費大増額の問題について討論する努力をしているわけです。

ある仲間は、「憲法が改悪されるのではないか」と心配そうに話しかけてきた若者に、すかさず「改憲は将来のことではないですよ、すでに憲法は目の前で破壊されているんです」と、「安保三文書」の内容や現に進行している軍事力強化の実態を話し、この若者に危機感を湧かせてきた。また、一時間以上の熱心な論議で、「ぜひ組合に加入して一緒に活動しよう」と働きかけ若者の組合加入をかちとった仲間もいます。新聞もテレビニュースも見ていない今日の若者をオルグするのは、本当にムズカシイです。この困難を突破して、わが仲間たちは、反戦・反改憲の闘いを地道にすすめ、職場・分会から執行部をつきあげ、闘いを構築しています。みなさん、ともにがんばりましょう！

3　ウクライナ反戦闘争をさらに強力に推進しよう！

プーチンのロシア軍によるウクライナ侵略戦争の開始からまもなく一年。ウクライナ人民はウクライナ軍と一丸となって、ロシアの軍事侵略を打ち砕く闘いを果敢にたたかっている。昨二二年九月以降、彼らはロシア軍に制圧された東部・南部を奪還する戦いによってロシア軍を撤退させたり、ドニプロ川の東岸にたたきだしたりしてきた。

このウクライナ人民の不屈の闘いに追いつめられ血迷ったプーチンは、ウクライナ全土の生活インフラを破壊するミサイル攻撃に手を染めているのだ。しかも、ドイツをはじめとする諸国からの戦車供与が決定されたという事態にプーチンは危機意識をつのらせ、決定翌日にウクライナ全土へのミサイル・ドローンによる無差別攻撃にうって出た。プーチンの蛮行を断じて許すな！

われわれは、昨二二年二月二十四日のロシア軍によるウクライナ軍事侵略を弾劾し、ウクライナ人民にレジスタンスに決起すべきことを呼びかけた革マル派の声明（『解放』号外）に鼓舞され学びながら、プーチンによるウクライナ侵略弾劾の闘いに起ちあがった。

われわれは、ウクライナの民族と国家を亡きものにしロシアの版図に再び組みこむという悪辣な野望をむきだしにして強行された軍事侵略に断固として反対する反戦闘争を推進してきた。スターリンとヒトラーとロシア皇帝を一身に体現したかのようなプーチンの反人民的蛮行への怒りを燃えたたせて、われわれはたたかってきたと思います。

一年ものあいだ、物量を誇ったロシア軍の侵略に屈することなく、キーウから敗退させ、東部ハリキウ州を解放し、南部のヘルソン市を奪還し、ロシア軍を国外にたたきだすことをめざしているウクライナ人民。この人民の闘いを断固として支援し、ウクライナ反戦闘争をさらに強力に推進しましょう。

ここでひと言。私が所属する全教の昨二二年夏の全国教育研究集会において、本部の日本共産党系の幹部や文化人は次のように言った。「ロシアも悪いが追いつめたのはＮＡＴＯ諸国だ」、「これ以上人が死なないためには降伏することを考えることも必要」などと、実質上プーチンを擁護する発言を重ねた。これにたいして、「誰が侵略しているのかを明らかにすべきだ、侵略しているのはプーチンだ」、「ウクライナの人々がこれだけ攻撃されても逃げないのはなぜか？　スターリン時代のホロドモールによる血の教訓があるからだ」、「全教もロシアの侵略反対の声をあげていこう」という意見が参加者から次々にあがり、討論内容は完全につくりかえられたのです。こうした組合員の発言は、わが仲間たちが職場・分会で地道に論議をつみかさねてきた、そのことが実を結んだのだと私は自信をもって言うことができます。

われわれは日本の地において、ウクライナ反戦の炎を噴きあがらせよう！　厳寒の地で不屈に戦うウクライナ人民と連帯してたたかおう！　プーチンの凶暴な弾圧に抗してたたかうロシア人民と連帯してたたかおう！

同時に私はウクライナの、ロシアの労働者の仲間たちに呼びかけたい。かつてのソ連「社会主義」はニセの「社会主義」でしかなかったことをハッキリさせよう。いまこそ、一九一七年のロシア革命の精神を思いおこして、プロレタリアート人民の社会をめざしてともにたたかおう、と。

反戦闘争を憎悪する警察権力の弾圧を打ち砕け

すべてのたたかう仲間のみなさん！　最後に私は声を大にして訴えたい。

岸田ネオ・ファシズム政権による憲法改悪と日本の軍事強国化に反対し、日本を戦争をやれる国にしようとする策動に断固として反対してたたかうわれわれにたいして、政府・国家権力者は反対運動を押しつぶし根絶やしにするために、弾圧の機会を虎視眈々と狙っている。戦前の日本において戦争に反対したり疑問を口にしたあらゆる人々を、「アカだ！」「主義者だ！」とレッテルを張って弾圧したのと同様な事態がこんにちすでに始まっているのだ。

昨二二年十二月十三日、警察権力は、平和教育をおこない労働組合において平和運動を熱心に推進してきた教育労働者Aさんにたいして、なんとAさんの車の車検証をめぐって「公正証書原本不実記録」などという容疑をでっちあげて、七時間にわたり家宅捜索するというとんでもない弾圧をかけてきた。私は、このでたらめな不当捜索を満腔の怒りを込めて弾劾する。組合運動に熱心にとりくんできたAさんにたいして、Aさんの軽自動車が「革マル派の組織犯罪」に使われていたかのように描きだそうとして、長時間にわたる家宅捜索を強行した警察権力を、私は絶対に許さない。労学両戦線でわれわれが、ウクライナ反戦闘争、日本の軍事強国化と改憲に反対する闘いを断固として推進してきたことに恐怖し憎悪した権力の攻撃を打ち砕こう！

この弾圧とたたかうことによって、Aさんはたたかう決意をいっそう強固にうちかためている。私も闘いの最先頭で奮闘する決意である。がんばろう！

二三春闘勝利、改憲・大軍拡を阻止するために、ともにたたかおう！

トヨタ・ホンダ経営陣の欺瞞的賃金回答弾劾！

自動車大手資本のトヨタ自動車とホンダの各経営陣は、二月二十二日、労使交渉の初日に、労組の超低額の賃金要求にたいして「満額」と称する「回答」をおこなった。トヨタ経営陣が交渉初日に「満額回答」するのは昨年につづいて二年連続であり、ホンダは一九九〇年いらい最速の回答である（ホンダ労使は三月一日に妥結した）。自動車大手独占資本経営陣とその下僕たる労働貴族が結託して、各労組が「統一回答日」にむけて労使交渉を積み上げること――春闘方式としてわずかに残っているそれ――を破壊したのだ。

トヨタでは、社長・豊田章男に代わって労使協議会に出席した次期社長・佐藤恒治が〝協議会直前に新経営陣が集まり、組合の要求に満額回答することを決断した〟などとアピールした。労働貴族があらかじめトヨタ経営陣との腹合わせのもとに要求をおこない、もって〝次期社長による満額回答〟を労使で演出したのだ。

なにが「自動車産業全体への分配を促す先頭に立つ」（佐藤）だ。なにが「トヨタの賃金がすでに高い水準にあるなかで、ある意味で恐怖に感じるほどの重い決断だった」（同）だ。〝がんばった人に報いる〟などと称して低く評価した労働者の賃上げを徹底的に抑えこみ、下請け企業に納品単価引き下げを強制しつづけているのが、トヨタ経営陣ではないか。佐藤は「（グループ）各社で『労使の率直な話し合い』が進むことを願って」などとうそぶき、各社の労使に経営課題をめぐる協議を促すためにこそ、労使協議会初日に回答したのだ。このような次期社長の「回答」を唯々諾々と受け入れたトヨタ労働貴族を弾劾せよ！

　そもそもトヨタ労組の労働貴族じしんが、要求書提出（二月十五日）にあたって、昨年と同様に賃金や一時金の要求よりも前に、春季労使協議会で話し合うテーマとして経営課題を列挙したのであった。「グループ・産業の競争力向上と持続的成長に向けて、組合員一人ひとりが、何ができるか、何をすべきか」や「自動車産業・トヨタの生き残りをかけ、これからも選ばれる産業・会社であるために、何ができるか」を議論したい、と。春季労使協議会において賃金・一時金をめぐってではなく、もっぱら「経営課題」をめぐって議論しているのが、トヨタ労働貴族なのだ。（昨春闘において豊田章男が「全員参加の経営会議になった」とうそぶいたことを想起せよ！）

　回答の内容は、組合の要求どおり、四つの職種の十五の職能資格ごとにそれぞれの標準的な考課のベースアップならざる「賃金改善分」の金額である。最高額は事技職の指導職が九三七〇円であり、最低は業務職三級の三五七〇円である。この金額はあくまでも標準的なものであり、職能資格ごとにAランクからEランクまで査定にもとづいてランクわけされ、各人の賃上げ額は決定されるのである。同一職種・同一職能であっても査定にもとづいて大幅な格差がつけられる。年間一時金は六・七ヵ月分であり、昨年の妥結額六・九ヵ月分より〇・二ヵ月分引き下げられているのだ。

妥結にむけたホンダ労使の交渉（2月22日）

　消費者物価が統計上でも四％以上高騰しているなかで、「連合」指導部が掲げる超低率の「三％程度」にすらおよばない超低額の金額である。そもそも労働貴族じしんが「単年の物価上昇だけに目を向けるのではなく、自動車産業・トヨタの競争力向上と持続的成長の観点を踏まえ、特に相対的に水準の低い若手や有期雇用の底上げが中心となります」と称して、賃上げ要求を自制したのだ。第二次オイルショック直後の一九八一年いらい四十年ぶりのインフレのもとで生活苦にあえぐ労働者などまったく無視しているのだ。

このようにトヨタの春季労使交渉は、ＥＶ（電気自動車）の開発・製造・販売の国際競争において完全にたち遅れているトヨタの生き残りのための方策をめぐる協議へと純化させられているのだ。

ホンダもまた、労使の腹合わせのもとに、「賃金改善分」として他社に比して高い一万二五〇〇円（定昇相当分との合計で一万九〇〇〇円）を労組が要求し、これに経営陣が「満額回答」をもって応えた。ホンダ経営陣は「優秀な人材確保」のために、今回の賃金改善分をもって初任給の大幅な引き上げなどをおこなうと宣伝している。その他面でホンダ経営陣は、低い評価をつけた中高年労働者については賃上げを徹底的に抑えこもうとしているのだ。

それだけではない。二〇四〇年までにエンジン車の生産を中止することを決定しているホンダ経営陣は、若い技術者を確保・育成することに力を注ぐ他方で、人件費総額を抑えるために、すでに昨春までに五十五歳以上の労働者約三〇〇〇人を「転進支援制度」という名の希望退職制度で解雇しているのだ。これら労働者への犠牲強要の一切に協力しているホンダ労組の労働貴族を許すな！

たたかう労働者諸君！　トヨタ・ホンダ経営陣の超低額の賃金回答を弾劾せよ！　経営陣と一体化して労働組合員を競争力強化のために動員する労働貴族を許すな！　自動車労働運動の戦闘的再生のために奮闘しよう！

（二〇二三年二月二十三日）

「自動車産業生き残り」のための労使協議への歪曲

根本省吾

コロナパンデミックによる恐慌をのりきるための緩和マネーのばらまきとロシアのウクライナ侵略とによって惹起された全世界的なインフレは、エネルギー・穀物を中心とした輸入物価の高騰として日本に波及した。日銀の「異次元の金融緩和」政策の継続は円安をひきおこし、インフレは倍加されている。

この四十年ぶりのインフレによる実質賃金の一年以上にわたる低下という労働者階級にとって危機的な状況のなかで二三春闘はたたかわれている。

さらに深刻なのは、「連合」指導部がわずか「三%程度」の賃上げ要求「指標」を掲げているにすぎず、それさえも岸田政権の唱える「新しい資本主義」なる諸政策に期待し、依存してのことなのだ。

このような情勢のもとで、自動車総連中央は労働者の苦境など目もくれずに今春闘方針において「自動車産業の生き残りこそが重要だ」などと叫び、賃上げの統一要求基準の設定を五年連続で見送ったのだ。われわれはこれを絶対許さない。

物価高・生活苦、労働強化を強制される労働者

自動車職場ではこの二年あまり車載半導体の不足により、出勤の振替、変則的な長時間労働などの不規則な勤務が継続している。トヨタ自動車の場合、二〇二二年度当初に一一〇〇万台と計画していた世界での生産台数を車載半導体の不足を理由として、五月には九七〇万台、十一月には九二〇万台、二月には九一〇万台へと次々と下方修正してきた。また、来二三年度についても一〇六〇万台という生産台数の計画を示してはいるが、これは「厳密な数値ではなく、目安を示した」ものにすぎないという。

部品下請け企業で働く労働者は、計画の下方修正による一切の犠牲を強いられている。出荷担当の労働者は、在庫の保管場所の捻出と生産計画の修正のために長時間労働を余儀なくされている。突如として生産中止となった車両の部品を生産している部署の労働者は、増産している部署で慣れない作業を強制される。班長などの職制は、仕事に不慣れな労働者にイラつきながら、決められた目標生産数値を落とさないようにと各部署を駆けずり回っている。ときには罵声すら飛ぶ。

出勤日の振替・出退勤時間の変更は日常茶飯事となっている。就業規則も労働協約も無視されている。一部の派遣労働者は休業日には最低賃金しか支払われない。労働組合員は時間外労働・深夜労働が総体としては減少しているがゆえに、年収が激減している。そのうえ、生活必需品やガス・電気などの公共料金がとんでもなく値上りし、生活苦はますます深刻化しているのだ。若い労働者を中心に多くが職場を去っていく。残った労働者は「仕事はきつくなっているのに、賃金は下がっている」と心底怒っているのだ。

組合員の声にむかいあっている良心的組合役員は自動車総連の今春闘方針に接して「これでは格差が広がるばかりだ」と思わず叫んだという。革命的・戦闘的労働者はいまこそ自動車総連中央の二三春闘方針の反労働者性を徹底的に暴露し、職場から春闘の火柱を燃えあがらせなければならない。

「産業の永続的発展」を謳う自動車総連〝春討〟方針

自動車総連は一月十二日に、「みんなでつくる明るい未来！　高めよう！　労働の価値　認め合おう！　お互いの付加価値」なるスローガンのもと、第九十回中央委員会を開催し、「二〇二三年総合生活改善の取り組み方針」を決定した。本春闘方針の特徴は以下の点にある。

特徴の第一は、一昨年、昨年につづいて今春闘の任務を〝「自動車産業の永続的発展」のために、産業・企業、そして働く者の課題を解決すべく徹底的に労使協議することにある〟としていることである。

この狂乱的な物価高のなかでも賃上げの課題はこれに従属するものとして扱われている。これが第二の特徴である。「連合」、ＪＣＭ（全日本金属産業労働組合協議会）、その傘下の電機連合、ＪＡＭ（ものづくり産業労働組合）、そして基幹労連さえもが、低水準とはいえ、賃上げの統一基準（指標）を一応は掲げているにもかかわらず、「会社ごとの課題は様々だ」（全トヨタ労連会長・鶴岡光行）などという口実のもと、自動車総連としての賃上げの統一基準の設定を五年連続して見送ったのである。このような方針にもとづき、日産、ヤマハ労連以外の十労連は賃上げ統一要求を掲げなかった。

特徴の第三は、物価高にたいして「生活の維持と労働の価値の維持」は必要、「（今春闘は）あきらかにここ数年の取り組みとはちがう」と一応はおしだしていることである。実際ホンダ労組の一万九〇〇〇円要求を筆頭にメーカー労組は三〜五％程度の要求（定昇相当分含む）を提出している。また、中小企業の賃上げを意識して「付加価値の適正循環」とか「付加価値の適正評価にむけた取り組み」とかと、このかんお蔵入りしていた主張を再びもちだしている。

特徴の第四は、「政策・制度要求」にかんして、次世代自動車の普及にむけて「地域独自の魅力あるまちづくり」の推進という、きわめて具体的な要求を強調していることである。

愛知県とトヨタ自動車労使、地域の国会議員（自民党、公明党、立憲民主党、国民民主党）などでつくる「愛知県カーボンニュートラル懇話会」や「中部圏水素・アンモニア社会実装推進会議」などをひな型とし、このような取り組みを自動車城下町と称される地域に普及させようとしている。その場合、政府与党も働きかけの対象としているのだ。こうした追求はトヨタ社長・豊田章男（四月一日をもって社長を交替）がみずからを「自動車産業で働く五五〇万人の代表」などとことさらにおしだし、自工会会長として、経団連モビリティ委員会委員長として、岸田政権にたいして「自動車産業をカーボンニュートラルのモデル産業とせよ」という主張をしてきたことと軌を一にするものである（これについては本稿ではくわしく触れることができない）。

ＥＶ化のたち遅れに焦る独占資本家への忠誠

このような春闘方針は、総連労働貴族が、全世界でのＥＶ（電気自動車）化の進展にたち遅れているという独占資本家どもの危機意識をわがものとしてうちだしたものにほかならない。

足元では大手メーカーが、半導体部品の不足による生産量の停滞＝納車遅れ（販売台数減）と原材料高を円安為替差益と日本市場以外での車両価格の値上げによってカバーし、総じて今年度の増収増益を確保している。これにたいして中堅・中小企業の多くは、メーカーの車両生産台数の低下による売り上げの減少と原材料価格の高騰とに挟撃され大幅な減益か、赤字に転落している。

四月にトヨタ自動車の新社長に就任する佐藤恒治は二月十三日、副社長を総入れ替えする新経営体制を発表した。その席で彼は、ハイブリッド車や燃料電池車などの開発もふくむいわゆる「全方位戦略」を維持するとはしたものの、「従来とは異なるアプローチでＥＶの開発を加速していく」「ＥＶファーストの発想で事業のありかたを大きく変えていく必要がある」と宣言した。あきらかにトヨタ経営陣も次世代自動車の開発・生産についてＥＶ化に大きく舵をきる決断をし、その経営体制を整えたのだ。

すでに二年前に、二〇四〇年には生産するすべての車種をＥＶとする決定をくだしたホンダの社長・三部敏宏は、今年一月に「(電動化は) 既存事業から移行しながら変わっていくというような猶予はもはやない」と危機意識をあらわにした。二〇二二年の自動車販売台数におけるＥＶ比率は、中国市場で二〇％、欧州で一〇％、アメリカでも五％となり、総販売台数は七八九万台となった。中国のＢＹＤは二九〇万台、アメリカのテスラは二一〇万台を単独で生産しているのにたいして、日本製のＥＶは全体で五万八〇〇〇台あまりであり、全世界での比率は五％まで低下している。中国、欧州、アメリカそしてインドをはじめとするアジア各国の市場は、ＥＶ化が大きく進展していく勢いだ。二〇三〇年にはＥＶは全世界で四〇〇〇万台生産され、全生産車の三五％となると予想されている。日本自動車独占体は全世界でのＥＶ化の急速な進展にあまりにも出遅れてしまったのだ。この危機意識こそが先の発言となったのである。

ＥＶ化の進展は、開発競争の軸が従来の「走る、曲がる、止まる」という車としての基本性能だけではなく、固体電池やＯＴＡ(註)などのソフトウエアさらには車内コンテンツなどにも広がるという。この新たな分野にはホンダと連携したソニーやＩＴ大手のアップル、グーグルなどの他業種が参入を開始している。自動車独占体は経験したことのない分野でも競争力を強化するために、系列下の部品企業にたいして「グループの総力で闘う」とその再編成を促したり、ソフトウエア開発などのスタートアップ企業との連携を強めたりしている。

メガサプライヤーでは、ＥＶの中心部品である電動アクスル (駆動モーター、インバーター、減速機が一体化したモジュール部品) の汎用化のみではなく、顧客別に最適化できる体制をめぐって競争が激化している。ＥＶの開発に資本を集中するためにエンジン部門の縮小・売却がすすんでいる (デンソーは燃料ポンプ部門を愛三工業に売却した)。エンジン部品やオイルポンプ、ピストンリングなどエンジン関連部品や変速機、排気部品を生産している中堅・中小の部品会社は、市場の縮小に備えてエンジン部門の統廃合、さらには企業合併（リケンと日本ピストンリング）などをおしすすめている。中小零細企業では将来予測がたたないがゆえに廃業するところも多くでてきている（自主廃業した大阪技研をみよ）。

このようにEV化の全世界における急速な進展を起動力として現段階、自動車産業の再編成は激烈さをきわめている。それは同時に多くの労働者に「希望退職」を募ったり「広域の配置転換」を強制したりというかたちで、事実上、路頭に放りだす攻撃であるのだ（栃木県真岡市のホンダパワートレインユニット製造部の閉鎖と人員削減攻撃をみよ）。

だが、自動車労働貴族どもは現に仕掛けられている人員削減攻撃にたいして、反撃するどころか、かつてのように「雇用問題」としても扱わないのだ。彼らの〝指導〟は、経営者とともに企業の競争力を強化するために労働者は生産性向上に励もう、その実現の障害となっている働き方を変えよう、というものでしかない。いいかえるならば、総連指導部は資本による合理化・人員削減攻撃に、産別としては一切かかわらないと事実上、宣言しているのだ。これが労働者・労働組合員の指導部だというのか！　恥を知れ！

賃上げ闘争の否定

自動車総連中央が統一要求を掲げないことについて、総連中央にかわって全トヨタ労連会長の鶴岡がその意図を露骨に語っている。「単に上部団体が示す賃上げの幅を議論するのではなく、（企業労使が直面する経営）課題の解決に必要な金額を議論し積み上げることで濃い交渉となる。結果的に多くの成果を勝ち取れる」「産業別の交渉は（企業ごとに課題がある）自動車産業にはあわない」などと。これは、すでに述べてきたような産業の再編成のなかで自企業が生き残るためには「労使の課題」を労使協議で鮮明にすることが肝要であり、賃上げはそれに従属したものにすぎないということなのだ。

彼ら労働貴族は、メーカー労組がかちとった賃上げ額を基準として、労連傘下の各労働組合はそれに

（たとえばメーカー労使の妥結額の「六〇％」というように）準拠するというこれまでの自動車総連の春闘方式を、〝経営課題をめぐる協議をなおざりにするものだ〟として否定しているのである。それは、自動車産業が春闘相場をつくってきたという意味では、「企業別労組の産業別勢ぞろい」としてたたかわれてきた日本型賃金闘争としての春闘方式そのものを否定しているのだ。総連中央は、二〇一九年を結節点として彼らが統一要求基準を示さないというかたちで追求してきた春闘を「企業の持続的成長のための労使協議」に純化する策動にふまえて、労働者がみずからの生活改善のために団結して賃上げをかちとることそのものを否定しているのだ。

今春闘において彼ら労働貴族どもが提起している方針の反労働者性の第一は、メーカー労組が掲げている三％から五％の賃上げ要求じたい、多くの労働者が体感しているように、たとえ満額をかちとったとしても電気・ガスなどの公共料金の高騰だけでふきとんでしまう超低額（率）でしかないということだ。これでは「生活の維持」さえできないではないか。

しかもこれらの要求はたとえ「ベースアップ」と称されていたとしても、賃上げを一律に要求するものではない。これが第二の問題だ。

トヨタ労組は「事技職」「業務職」「技能職」「医務職」の四職種とそれぞれの職能資格に応じて十五種類の賃金要求をしているが、要求時点で九三七〇円（事技職・指導職）から三五七〇円（業務職三級）と労組みずからが積極的に格差をつけた要求をしているのだ。しかも特定の職種・職能資格のなかでもA〜Eの査定によるランク付けがなされる。こうして労働者への配分は徹底的に差をつけられ、労働者間の競争を煽るものとなるのだ。

日産労組の場合にも、賃上げ要求は人件費総額を確定するだけで、賃金配分は目標管理制度とむすびついた賃金制度にもとづいておこなわれる。他のメーカー労組も「仕事・役割・貢献度」によって格差をつける賃金制度を是としてそれにのっとって要求しているのだ。

「産業・企業発展のための賃上げ」？

総連の労働貴族どもが、労働者間の賃上げ額に積極的に差をつけているのは、賃上げを「産業・企業の源泉である『人材の確保』」のためのものと位置づけているからにほかならない。これが第三の問題である。

彼らは、就業人口が減少するなかで、他業種との獲得競争の的となっている「ＩＴ人材」や、労働が過酷であるがゆえに離職率が高く新卒者には人気のない量産職場の技能労働者の中心となる「人材」を獲得・定着させるという経営者の労務政策に呼応しているのだ。同時に彼ら労働貴族は『「生活が苦しいから一律で」ということではない』「労働の価値を守る賃上げだ」などと主張している。「労働に応じて賃金は支払われるべき」と考えているがゆえに、「企業にとって有能な人材は賃金も厚遇されるべきである」とするのだ。彼らは賃金を「労働の対価」としてとらえるブルジョア的謬見に陥っているのだ。

「けれども、『労働の報酬』あるいは『労働の価格』というのは賃金の本質ではなく、その仮象形態にすぎない。賃金の本質は、労働力の価値の貨幣的表現にほかならず、賃金は本質的には前払いなのである」（黒田寛一『賃金論入門』こぶし書房刊、一三頁）。賃金は「生産の成果」の分配ではないにもかかわらず、そのように主張することの実践的意味は資本家どもが労働者を搾取していることの隠蔽ではないか！

「付加価値の適正評価」なるごまかし

第四の問題は、彼ら労働貴族が、二〇一九年以降お蔵入りさせていた「付加価値の最適循環運動」なる主張をもちだし、「付加価値の適正評価にむけた取り組み」を主張しはじめたことの欺瞞性である。

彼らが「付加価値の適正評価」を再び強調しているのは、直接には下請け企業群が原材料・エネルギー高を価格転嫁できないからだ。総連中央も自動車産業の「価格転嫁の状況は二十七業種中十七位、……

労務費とエネルギーコスト（の分野）では二十五位」だと数字をあげつらい、「取引慣行の是正をすすめていく必要がある」とはいう。だが、その内実が問題だ。

昨年末、公正取引委員会はトヨタグループの名だたる大企業であるデンソーや豊田自動織機を含めて十三社を「コスト上昇分を取引価格に反映する協議をしなかった」独占禁止法上の「優越的地位の乱用にあたる」と判断し、その社名を公表した。だが現に自動車産業で生起している親企業が下請け企業の価格転嫁を認めないという具体的な現実を彼ら労働貴族はまったく問題にしない。傘下労働組合（役員からの猛烈な突き上げをうけたＪＡＭ執行部のように「不公正取引慣行の是正」（傍点筆者）を「政策制度要求」とするわけでもない。

自動車労働貴族どもは「自動車産業の競争力を強化するために、中小企業の底上げが不可欠であり、そのために適正取引を」（傍点筆者）と、あくまでも中小企業の経営のゆきづまりが系列グループの競争力を損なうことにつながることを問題としているにすぎない。彼らはその打開策として中小企業にも利益がゆき渡るように「付加価値の最大化をはかる」。そのために、親企業は子会社にたいして「生産性の向上策」や「労務管理のノウハウ」を伝授することを配慮しなければならない、というのだ。これはいっそうの生産性向上を子会社に迫り、締め付けを強化することではないか。これが彼らの言う「適正取引」の内実なのであり、親企業が下請け企業を収奪しているという核心を不問に付しているではないか。これでどうして中小企業で働く労働者の賃上げを実現しようというのか。馬鹿にするな。

大幅一律賃上げ獲得！　労働組合の戦闘的強化を！

自動車産業で働く労働者諸君！　四十年ぶりの歴史的な物価高のなかで、われわれは大幅かつ一律な賃上げをかちとることをめざして、労働組合を主体としてたたかおうではないか！

産業・自企業の発展こそ労働者の「明るい未来を

「つくる」などという労働貴族の主張がいかに反労働者的なものなのかはすでにあきらかだ。彼らは、実質賃金の低下も労働強化も、人員削減も産業・企業の発展のために甘受しろというのだ。

物価高のなか、いままでにない大幅な賃上げをかちとろうではないか。それなしには生活も守れないのだ。しかもこのかんの労働貴族どもの裏切りによって、日本の労働者は低賃金を強制されているだけでなく、労働者の働きを資本家によって恣意的に格付けされ、この格付けを基準として賃金が支払われている。資本家どもは人件費総額を抑制したうえで、労働者間の競争を煽りたて、よりこきつかっているのだ。われわれは労働者の団結を取り戻すためにも大幅だけでなく同時に一律の賃上げを要求しなければならない。部品不足を口実とした一切の労働強化を許すな。ガス・電気などの公共料金の値上げに反対しよう。「カーボンニュートラル」を口実とした原発再稼働に反対しよう。軍事費の大幅増額、そのための増税、日米安保同盟の飛躍的強化に反対しよう。ロシアによるウクライナ侵略を許すな！

これらの闘いをつうじて、労働貴族どもによってボロボロにされている労働組合の諸機関を再確立し、労働組合を戦闘的に強化しよう！　戦闘的・革命的労働者はこの闘いの最先頭で奮闘しよう！　ともにたたかおう！

註　「Over The Air」の略。車載されている電子制御などのソフトウエアを無線で更新する技術。スマホの機能を Wi-Fi でアプリを入れることによって更新するのと同様に、車の機能もソフトウエアで更新する。テスラはすでに実用化している。

〔本誌掲載の関連論文〕

- 「脱炭素」下での企業生き残りへの挺身　村山　武（第三一九号）
- 二二自動車春闘の高揚をかちとれ　根本省吾（同）
- トヨタ二一春闘　企業生き残り策をめぐる労使協議の反労働者性　西岡　剛（第三一四号）
- 「産業の永続的発展」のための労使協議への歪曲　根本省吾（第三一二号）

電機二三春闘の戦闘的高揚をかちとろう

野咲春佳

電機連合傘下の大手諸労組は二〇二三年二月十五〜十六日に、「開発・設計職基幹労働者賃金の水準改善額（引上げ額）七〇〇〇円」とする要求書をいっせいに各企業経営者に提出した。消費者物価の上昇率が四％も超え、日を追うごとに食料や燃料といった生活必需品の価格が高騰しつづけている。労働貴族どもは「物価上昇で生活は厳しくなっている」として「賃金改善の必要性」を口にはする。だが「七〇〇〇円」（二％程度）など、物価高騰分にもはるかにおよばない超低額の要求でしかないではないか！

われわれは賃上げ要求を自制する労組指導部を弾劾し、大幅一律賃上げ獲得めざして二三春闘の戦闘的高揚をかちとろう。

Ⅰ　事業構造の転換に狂奔する電機独占資本家ども

賃上げを徹底的に抑制

電機大手の経営者は労組の「賃金改善」要求にたいして、「今年は物価を意識し、ベアについては実施で考える」(日立執行役常務・田中憲一)などと言ってみせた。彼らは物価高騰に苦しむ労働者の生活改善を〝意識している〟わけではもちろんない。彼らの本音は必要な「人材」を確保するとともに、回復しつつある消費をなんとか維持し日本経済を順調に成長軌道にのせるというところにある。そのためなら多少の〝賃上げ〟はやむをえないと考えているのである。何よりも「優秀なIT人材」を獲得するために「海外企業との賃金水準の差」を埋めるという問題意識からいわゆる「高度人材」や若手の賃金水準を改善することを狙っているのだ。

NEC社長・森田隆之は「今年も昨年と同規模の賃上げをやるが、これは優秀な人材の獲得・定着のため」だ、「昨年は労組に（満額の）対応をした」が「成果の高い社員に多く配分し成果のない社員はゼロとした」と言い放った。富士通社長・時田隆仁も「物価上昇による賃金の実質減の補塡のための賃上げは好ましくない。全員一律の賃上げなど必要ない」とうそぶいている。富士通はすでに「ジョブ型人事制度」を全社員に導入しており、「ジョブと報酬が紐づいている」（時田）がゆえに〝賃金を上げて欲しかったらその職務にふさわしい人材たれ〟と許しがたい言辞を弄しているのである。

重犠牲を労働者に強要

軍需部門を有する資本家どもは、岸田政権の「国家安全保障戦略」の大転換・軍需産業の国家的育成政策を絶好のチャンスととらえ、〝衰退している電機の防衛産業〟の支援と「民生技術の取り込み（デュアルユース）」を経済産業省に要請した（三菱電機、NEC、富士通など十五社）。三菱電機は、日本政府主導のもとにイギリス・イタリアの企業と共同で戦闘機（航空自衛隊戦闘機F2の後継機）の研究・開発・製造にむけて、しかも第三国への輸出にむけて動きだしてもいる。

日立など原発事業を推進する資本家は、岸田政権の「GX実現に向けた基本方針」の核心をなす原発政策の転換（「原発建替え・新増設」の推進・「六十年超運転」の容認）を受けて新型原子炉・「革新軽水炉」の開発・設置に突きすすんでもいるのだ。

そして日立や富士通、NECなど「DX」企業を自称する経営者は〝事業再編の総仕上げ〟にむけて不採算部門の閉鎖や売却、米・欧など外国資本とのM&A（企業合併・買収）に狂奔している。同時にこれらの独占体は、政府の支援策に支えられてAI（人工知能）や国産量子コンピューターの開発、国内データーセンター（DC）のサーバー技術開発や「5G」・「6G」にむけた最先端技術の開発競争にしのぎを削っている。

岸田政権は、先端半導体の国産化をめざしてトヨタ自動車やNTT、NEC、デンソー、キオクシア、ソニーなど国内八社に七八億円を出資させて新会社「ラピダス」を設立した。この動きは、アメリカが昨年十月に「経済安全保障」の観点から最先端半導体の技術や人材、半導体装置の中国との取引を事実上禁じる輸出管理強化策を実施し、日本やオランダの企業もこの規制の枠に組みこもうとしているなかで、これを逆にチャンスととらえて、日本政府主導のもとに西側のサプライチェーンの一端を担う先端半導体の製造拠点を日本につくろうとするものなのである。

他方、電気自動車（EV）用などの電子部品や半導体装置などを製造する企業（村田製作所、パナソニック、日立、日本電産）は、「地政学リスクを避ける」と称して中国・ロシアから生産拠点を撤退し、国内や東南アジアへと移転しつつある。しかし同時に、各企業は巨大市場である中国に工場を新設して生産拠点を二重化してもいる。このように〝リスクの分散化・多様化・複線化〟を模索しているのだ。

首相・岸田文雄は「インフレ率を超える賃上げ」などと体のいい言辞を弄しながら、その実現は「リスキリングの支援、日本型職務給の確立、成長分野への雇用移動の三位一体の改革」によって可能となるとほざいている。それは「二〇三〇年までにIT人材を三三〇万人育成する」他方で、〝成長分野〟に対応できないとみなした多くの労働者を切り捨てるものなのだ。

この岸田政権の支援策に支えられている独占資本家どもは、企業戦略の転換による事業・企業組織の再編を日々強行し、事業閉鎖にともなう首切り・転籍の攻撃など一切の犠牲を労働者に転嫁しているのである。日立・富士通などの大手企業経営者は、全労働者を対象として「ＩＴ人材」育成のための「リスキリング（学び直し）」を強制している。「スキルアップ・スキルチェンジ」と称した自発的キャリア形成のための講習会や数百種類を超えるｅラーニングの講座を用意し受講させている。労働者は通常業務をやりながら時間外や休日に〝自己研鑽〟しなければならず、多くの労働者は挫折して自主退職に追いこまれ、経営者が委託した「リクルート会社」の〝斡旋〟によって社外に放りだされているのだ。

〝企業の持続的成長のための労使協議〟に闘争を歪曲する労働貴族

一月の電機連合中央委員会で委員長・神保政史は「物価上昇にふまえた水準改善の実現を」と挨拶した。だがそれは「経済を好循環させることによって、ＯＥＣＤのなかでも低位の賃金水準を中期的（継続的）に改善する」という意味なのである。これに呼応して、各労連代表が相次いで発言した。賃金は「未来につながる人への投資」であり「デフレマインドから脱却・日本経済の需要を喚起するその燃料」（オオ！　賃金は消費喚起のための燃料！）である（日立グループ連合）。「高度人材不足解消」のために「継続した賃上げは必要」だ、そのためには「この春闘を機に政労使で考え・行動する初年度」とすべきだ（ＮＥＣグループ連合）、と。

このように電機二三春闘は、電機連合指導部によって〝日本経済のデフレからの脱却と経済の好循環のための「人への投資」〟と称して、ジョブ型や「仕事・役割・貢献度基準」の賃金支払い形態にふさわしい賃上げの実施方法（若手重視などの、いわゆる「配分」）や「リスキリング・教育訓練の拡充」を課題とする〝労使協議〟にねじ曲げられようとしている。

他方、日共系「電機労働者懇談会」（ＥＬＩＣ）の輩は、富士通やＮＥＣが導入している「ジョブ型人事制度」にたいして「欧州とは異なるニセ『ジョブ型』制度導入反対」をアピールする宣伝活動に埋没している。この彼らの犯罪性をも暴きだしながらわが仲間たちはたたかっている。

われわれ戦闘的・革命的労働者は、昨二二春闘の戦闘的高揚をかちとるためにたたかうとともに、諸々の職場においてかけられてきた電機独占資本家どもの首切り攻撃に協力する労働貴族を許さず事業再編にともなう労働者への犠牲転嫁を阻止する闘いに粘り強くとりくんできた。この闘いによって強化・拡大してきた革命的フラクション、これを実体的基礎として今二三春闘のとりくみを開始している。いまも続く「リモートワーク」勤務やフリーアドレス制、組合機関紙誌の配布さえおざなりという現状のもとで、組合員同士の交流をつくりだしながら、今二三春闘の高揚をかちとるべく奮闘しているのである。

Ⅱ　労使協議への歪曲を許さず闘おう

A　「人への投資」要求の反労働者性

電機連合指導部は物価高騰下で迎えた今二三春闘においてわずか「七〇〇〇円以上」ぽっちの超低額要求をかかげている、これが彼らの春闘方針の第一の特徴である。しかも彼らは、今年の「DIGEST」（中央委員会議案）から「統一闘争強化」の項目をこっそり削除した（もはや「妥結の柔軟性」と称して妥結のバラツキを容認することを大前提としているのだ！）。彼ら労働貴族は、一月二十六日の中央委員会で欺瞞的にも「大幅な賃金引き上げを実現しなければならない。国内の賃金水準改善に水を注す統一闘争には決してしてはいけない」（三菱電機労連）などと息まいてみせているが、やる気などまったくないのだ。

第二の特徴は、この超低額な賃上げ要求を「賃金決定の三要素」（「生産性」「労働力市場」「生計費」）によって基礎づけ正当化していることである。

第三の特徴は、彼らが労働協約関連項目のなかに「一人ひとりのキャリア形成支援」の項目を追加していることである。経営者が「成長分野」への事業再編をスムーズに進められるように労働者に「キャリア形成」を促しているのである。

第四の特徴は、自動車や鉄鋼をはじめとするあらゆる産業の企業経営者が「ＤＸ・ＧＸ」にむけて事業再編に狂奔していることを〝電機産業発展のチャンス〟ととらえ、各企業における春闘時の労使交渉をこれまで以上に経営対策や労務政策を協議する場へと変えようとしていることである。

超低額要求の正当化

右のように電機連合指導部は、二三春闘を、国際競争力強化にむけて人材を確保・育成していくための方策をめぐって労使で協議することを主軸にとりくもうとしている。彼らはそのための「人への投資」として経営者に「賃金改善」を要求し、賃金闘争としての春闘を歪曲しているのだ。このような彼らの春闘方針の反労働者性を、われわれは徹底的に暴きだし批判していかなければならない。

電機連合指導部は二三春闘方針を基礎づけるために、現下の情勢を恣意的に描きだしている、これが第一の問題である。彼らは情勢にかんする項目のタイトルを、昨年までの「国内外の動向」から「賃金決定の三要素からみた国内経済の動向」に書き変え、「賃金決定の三要素」にかかわる経済統計の具体的な数値をあげている。それは彼らが急激な物価高騰のなかで今春闘にとりくむことから、賃上げ要求を自制していくために「経済の整合性」論(註)の「賃金決定の三要素」をもちだしたのだと思われる。実際、彼らは「三要素」のはじめに「生産性」をとりあげ〝「業況が良い」といっても、その程度は弱まってきている〟と描きだしつつ、「物価の動向」については最後に申しわけ程度に触れているだけである。「賃上げはあくまでも生産性向上のワク内で求める」というように、あらかじめ賃上げ要求を自制することを〝答〟にして、これを正当化するために「企業の生産状況」などの数字を並べたて要求の基礎づけに客観的な装いをほどこしているのだ。すなわち彼らは、わずか「七〇〇〇円」の低額要求を正当化するために「賃金決定の三つの要素」なるものをもちだし、〝今年は物価が高騰しているが、賃金は生計費だけでなく企業の生産性や労働力市場の三つを勘案して総合的に決定される〟とごまかしているのだ。

みずからの方針を正当化するために情勢を眺めているがゆえに、電機連合指導部が描く「情勢」にはプーチンのウクライナ侵略も、岸田政権の改憲や軍事強国化への動きもまったく書かれていない。彼らは、「大軍拡と戦争の時代」への歴史の大転換というなかで、「電機産業の発展」のために大軍拡や原発の再稼働・新増設の動きがいよいよ高まることを〝歓迎〟しているのだ。

第二の問題は、右のようにして正当化した超低額な賃上げ要求そのものの犯罪性である。そもそも「七〇〇〇円」の賃上げ要求など、現下の物価高騰のもとでは「焼け石に水」であり、実質賃金の低下を容認する大裏切りだ。

しかも電機連合の「統一要求基準」は、賃金水準の高い「開発・設計職基幹労働者」の「水準改善額(引上げ額)」にすぎず、多くの労組では組合員平均の賃上げ要求でさえない。すでに電機の大手企業では、日立、富士通などでジョブ型人事制度が全社員に導入されており、それ以外の企業でも「仕事・役割・貢献度」にもとづく人事・賃金制度が導入されている。労働貴族どもは、こうした賃金支払い形態を前提として特定の労働者層を除いた大多数の労働者の賃上げ要求はさらに低額に自制しているのだ。

第三の問題は、電機連合指導部が事業再編に協力し労働者に「キャリア形成」を強要していることである。彼らは労働協約関連項目として新たに追加した「一人ひとりのキャリア形成」という項目のなかで、「従来の教育訓練の対象」である「アップスキリング」と「リスキリング」に加えて、「今日的な対象」として「自主的なスキルアップ」としての「自己啓発」を追加している。彼らは「一人ひとりの」労働者に、成長分野の仕事を担えるように「リスキリング」や「社外学習・自己啓発」にとりくむことを促している。〝自己のエンプロイアビリティ(雇用されうる能力)を高め自社の内部だけでなく他の企業にも移動できるようにしろ〟と言いたいのだ。

彼らはこうした「キャリア形成」を促進する観点

から、「労働者は新たな付加価値を生み出す『主体』である」ことを強調しつつ、「人への投資」と称して経営者に、人材育成や労働者にモチベーションアップを促すような賃上げや「教育訓練や能力開発」への支援を要求しているのである。

電機の企業経営者はいま「DX・GX」にむけて、岸田政権の経済的支援をも活用して、事業再編を加速させている。経営者はコロナ・パンデミックに直面して明らかになった日本経済・社会のデジタル化のたち遅れや国内の半導体生産基盤の喪失状況に危機感をつのらせ、それを挽回するためにシャカリキになって事業再編に突進している。電機連合指導部はこのような危機感を共有し、経営者が強行している事業再編に全面的に協力しているのである。

彼ら労働貴族は、事業再編に必要な「IT人材」を確保・育成するために岸田政権や経団連が進めている「労働移動の円滑化・リスキリング」を容認し、それをみずから尻押ししている。「政策・制度要求」のなかでも、政府に「企業の枠を超えたリスキリングの場づくり」を提言しているのだ。おりしも首相・岸田は、一月通常国会の施政方針演説において「成長分野への円滑な労働移動」のために、これまで「企業経由が中心となっている在職者向け支援を、個人の直接支援中心に見直す」と、政府が率先して「リスキリング」を支援することをうちだした。電機連合指導部はこのような政府の「リスキリング」支援策を評価し、それに呼応して電機の各企業においても「キャリア支援」に力を入れることを経営者に要求しているのだ。

第四の問題は、電機連合指導部が事業再編にむけた労使協議をいっそう強化しようとしていることである。彼らは二三春闘を、「経営戦略」や「働き方改革」、「キャリア形成」などについて労使で話し合い・決定していくことに主軸をおいている。通年の労使協議においても、労働者の「キャリア形成」にむけた「制度の導入」や「環境整備」を進めていこうとしているのだ。

彼らは「電機産業発展」のためには、「成長産業」へのあくなき事業再編が必要であり、それが労働者の「生活不安・雇用不安・将来不安」の払拭につながると観念し、これを組合員に宣伝している。しかし現実に事業廃止された職場では、労働者は仕事を奪われ・新たな職場（仕事）に移るための「リスキリング」を強要され、それに対応できなければ退職に追いこまれている。にもかかわらず、企業の生き残りのための事業再編に協力するように労働者をかりたてるのは、彼ら労働貴族が階級協調の「労使運命共同体」思想におちいっているからなのである。

B　大幅一律賃上げ獲得めざして闘おう！

われわれは今春闘において、まず第一に超低額要求をかかげる電機連合指導部を弾劾し「大幅一律賃上げ獲得」をめざしてたたかうのでなければならない。労働貴族は賃上げ要求を自制し、しかもジョブ型人事・賃金制度や「仕事・役割・貢献度」にもとづく人事・賃金制度を認め、労働者に格差を広げる「賃金改善」を要求している。われわれは彼ら労働貴族の反労働者性を暴きだし、彼らに指導された運動をのりこえて、今春闘をジョブ型雇用制度や「仕事・役割・貢献度」基準の賃金支払い形態の導入・改悪にも反対しつつたたかおうではないか。

この闘いのただなかにおいて同時にわれわれは、春闘に決起した労働者にはたらきかけ、賃労働者としての自覚をつくりだすためのイデオロギー闘争を強化していこう。彼らに労働力商品にまで物化させられているおのれの存在について自覚を促し、賃金奴隷からの解放をめざしてたたかうことをもよびかけていこう。

第二にわれわれは、事業再編に協力する電機連合指導部を弾劾し、首切り・転籍・出向などのあらゆる攻撃に反対していく闘いを職場深部からつくりだしていこう。事業再編がおこなわれている企業の労組指導部は、お題目として「非自発的退職は認めない」ことをかかげているだけで、労働組合として労働者の雇用を守るための闘いをいっさい放棄している。われわれはこのような労組指導部の反労働者的な指導を弾劾しのりこえてたたかおう。

第三にわれわれは、電機連合指導部の原発推進方針を弾劾し原発の再稼働・新増設に反対しよう！　電機産業での軍需生産への加担にも反対しよう！

第四にわれわれは、反戦・反改憲の闘いを職場から創造し日本の軍事強国化に反対しよう！　岸田政権による大軍拡・憲法改悪の攻撃を打ち砕くためにたたかおう！　ロシア・プーチン政権によるウクライナへの軍事侵略を弾劾する反戦闘争を職場深部からつくりだそう！　プーチンの軍事侵略に命を賭して戦っているウクライナ人民と固く連帯し、ウクライナ反戦闘争に起ちあがっている全世界の労働者・人民とともにたたかおう！

第五にわれわれは、電機二三春闘の闘いを通してわが革命的フラクションの強化拡大をかちとろう！　われわれは変質を深める電機労働運動をその内側からのりこえるための運動＝組織方針を具体的にねりあげ、それにのっとってフラクション活動とイデオロギー闘争を強化しよう。それとともに、組織論議を基礎にしてみずからを革命的労働者として実践的にも思想的にも強化していこう。

そして左翼フラクションや革命的フラクションの強化拡大を基礎に、既存の労働組合組織をその内部から戦闘的につくりかえていこう。

註　「経済の整合性」にのっとった「社会的に公正で適切な賃金」を要求すべきだというもの。インフレ下の八一春闘で、当時の同盟・ＪＣ指導部が中心になって賃上げ要求を自制するために主張したもの。

〈特集〉

3・11福島第一原発事故から12年

原発の運転期間延長・新増設推進の閣議決定を弾劾せよ

岸田政権は二〇二三年二月十日に、原発の運転期間の六十年超への延長と建て替え(リプレース)の推進を明記した「GX実現に向けた基本方針」なるものを閣議決定した。

「福島の復興はエネルギー政策を進める上での原点」(「基本方針」)だ、などと彼らはうそぶいている。何が「福島の復興」だ。福島の核惨事が今なお収束のメドすらたっていないことを隠蔽し居直り、故郷を追われ放射線障害に苦しむ何万人もの被災人民を見殺しにし、苛酷な事故処理作業に従事する原発労働者に犠牲を強要して平然としているのがこの輩ではないか。われわれは、圧倒的な労働者・人民の「原発反対」の声を踏みにじって強行された岸田政権のこの暴挙を、満腔の怒りを込めて弾劾する。

ロシアのウクライナ侵略を発火点として一挙に熾烈化した米―中・露角逐、そして、東アジアにおける戦争勃発の危機の高まりのもとで岸田政権は、軍事強国日本のエネルギー安全保障と衰退した日本帝国主義経済再生を狙うGXの切り札として、原子力開発を位置づけ直した(本誌本号の「軍事強国日本のエネルギー安保確立に突進する岸田政権」を参照）。この政権は、地球温暖化対策とエネルギー安定供給を錦の御旗として、原発・核開発に狂奔しているのだ。

東京電力福島第一原発の大事故発生以後、歴代政府がとってきた原子力政策――原発の運転期間は「四十年、最長でも六十年」とし、新増設は「想定しない」――の大転換を、岸田政権は、かの「安保三文書」の策定過程と同様に、国会審議すらおこなうことなく、政府のもとに設置した「GX実行会議」と経済産業省の諮問機関「原子力小委員会」での形式的な審議をかくれみのとして強行した。

福島原発事故の「教訓」として一応は、原発推進を所管する政府機関から「独立」したかたちで設置されたのが「原子力規制委員会」であった。この規制委も、いまやかつての「原子力安全・保安院」と同様の経産省の出先機関に実質上改変されようとしている。今回の法改定で、「四十年ルール」を所管する機関を、現在の規制委から経産省に移すことを企んでいるのだ。

この「六十年超運転」容認案にたいして、規制委員会を構成する委員五人のうち一人の地質学者（石渡明）が、「安全側への改変とはいえない」として「反対」の意志を表明した。〔志賀原発2号機の活断層調査で北陸電力に助け船を出したこの学者（本誌本号の「志賀原発再稼働を許すな！」を参照）でさえ黙っていられないほどの強引なやり口で規制制度の改変がおこなわれようとしている。〕岸田政権は、こうした異論をも昨二二年九月に規制委委員長に据えたゴリゴリの原発推進派の山中伸介のもとに強権的に抑えこみながら、原発推進体制を構築しようとしているのだ。〔二月十三日、規制委は全会一致の慣例を破り、四対一の賛成多数で原子炉等規制法の改定を容認する決定を強行した。〕

いま各電力会社は、化石燃料価格の高騰による火力発電コストの上昇を口実にして、この四～六月からの家庭用電気料金（規制料金）の二八～四六％もの大幅値上げを申請している。申請していないのは中部・関西・九州の三社だけであり、関西・九州の二社は原発を再稼働している。他方、値上げを申請した各社は、原発を保有していない沖縄電力を除いてすべてが原発の再稼働の日程を明記しているのだ。東北電力は女川原発2号機を二四年二月に、東電が柏崎刈羽原発7号機を二三年十月に・6号機を二五年四月に、北陸電力は志賀原発2号機を二六年一月に、中国電力が島根2号機を二四年一月に、さらに北海道電力は泊原発3号機を二六年十二月に、というように（四国電力はすでに伊方原発3号機を再稼働している）。

そして東電の担当者は、柏崎刈羽原発7、6号機の再稼働を組みこんで値上げ幅を算出した、「その結果、上げ幅を六・八％圧縮できた」などとおしだした。まさに、〝原発が再稼働できなかった場合にはさらなる値上げを覚悟しろ〟と労働者・人民を恫喝したのだ。

ロシアのウクライナ侵略を契機とする化石燃料価格の国際的な高騰に、岸田政権の金融緩和政策の持続による円安が加わって、石油・天然ガス・石炭の輸入価格が急騰した。停止中原発の早期再稼働を企む岸田政権は、これを絶好のチャンスととらえて、各電力会社に再稼働のスケジュールを明記させたのだ。諸物価の高騰に苦しむ労働者・人民にたいして、〝さらなる電気料金の値上げをとるか、原発の再稼働をとるか選択しろ〟と迫っているのだ。

だがそもそも、電力会社のコスト計算には原発再稼働のための巨額の費用が含まれている。しかも今後、原発の新増設をするならば、一基あたりの建設費用が福島原発事故以前の二倍から四倍にものぼるとされているのであって、こうした費用を労働者・人民からの収奪強化によってまかなうために、エネルギー危機を口実として電気料金の値上げを企んでいるのが電力各社なのだ。

政府・電力資本のこうした悪らつな手口をも断固として暴きだし、原発・核開発反対闘争の爆発をかちとろう。

原発再稼働・運転期間延長を許すな！　原発リプレース・新増設を阻止せよ！　電気料金値上げ反対！　原発推進と一体の大軍拡を阻止せよ！　すべての原発・核燃料サイクル施設を即時停止し廃棄せよ！

軍事強国日本のエネルギー安保確立への突進

田辺敏男

　東京電力福島第一原発の大事故発生から十二年。この人類史上最悪の核惨事をひき起こした張本人たる自民党政治エリートどもや東電経営陣がいま再び許しがたい犯罪に手を染めようとしている。この大事故に直接の責任を負う者やその後継者からなる岸田政権は、原発への依存度を「低減する」という欺瞞のベールを全面的にかなぐり捨て、原発は「クリーン」だとか「エネルギー安全保障に不可欠」だとかの神話を復活させながら、原発の積極的推進にうってでているのだ。

　いま日本帝国主義権力者は、ロシアのウクライナ侵略がもたらした米—中・露角逐の一挙的激化と東アジアにおける戦争勃発の危機の高まりのもとで、日米軍事同盟の対中・対露攻守同盟としての強化と大軍拡にのりだしている。彼らは日本をアメリカとともに戦争を遂行しうる軍事強国へおしあげていくための「国家安全保障戦略」において、「エネルギー安全保障・経済安全保障」の実現に不可欠なものとして原子力開発の推進を位置づけているのだ。まさしく、岸田政権の原発推進政策は大軍拡政策と一体のものなのである。

東日本壊滅の寸前であったかの核惨事に目をつぶり居直って、被災人民を見殺しにしながら原発推進に狂奔しはじめた岸田政権にたいして、われわれは原発・核開発反対闘争の大爆発をもって応えるのでなければならない。

A　原子力政策の大転換

岸田政権は、昨二〇二二年十二月二十二日に開催した「GX実行会議」において、福島第一原発事故以後に歴代政府がとってきた原子力政策の大転換を意味する新たな指針をうちだした。

決定された「GX(グリーントランスフォーメーション)実現に向けた基本方針(案)」(以下「基本方針」と略)において岸田政権は、原発依存度を「可能な限り低減する」としてきた文言(「第六次エネルギー基本計画」二一年十月)を削除し、原子力を「将来にわたって持続的に活用する」ことを基本政策とした。

そして具体策としては、①「廃止決定した炉の次世代革新炉への建て替え」をすすめるとした。「第六次エネルギー基本計画」を策定した際に岸田政権は、原発の新規建設は「想定していない」としていたのであるが、これを否定し、「建て替え(リプレース)」をすすめると、百八十度転換したのである。

②原発の運転期間を、「原則四十年、最大延長二十年(最大六十年)」としてきた福島第一原発事故発生以後の政策を転換し、安全審査の準備や裁判所の命令で停止していた期間はカウントせず、この「停止期間に限り、追加的な延長を認める」とした。福島事故以後十年以上停止している原子炉は、総計七十年以上の運転を認可するものである。

③地元理解への「国が前面に立った対応」とか、次世代革新炉開発やバックエンド事業への「国による支援」とかと、政府が主導して事業を推進することが強調されている。とりわけ、核燃料再処理・廃炉・核廃棄物の最終処分などの電力諸独占体にとっては利益を生まない事業については、政府が全面的に資金を投入できる体制をつくりだそうとしている。

④「同志国との国際連携を通じた研究開発推進、強靱なサプライチェーン構築、原子力安全・核セキュリティ確保」の取り組み。「米英仏等との戦略的な連携」(経済産業省・原子力小委員会の「アクションプラン」の表現)にもとづいて、中国・ロシアに対抗する国際的な原子力関連技術・物資の供給網を構築すべきことを謳っている。

岸田政権がうちだした新たな原子力政策の最大の特徴は、これが「安全保障政策の大転換」(岸田「施政方針演説」)と称してうちだされた先制攻撃体制の構築とそのための大軍拡政策と一体のものとして位置づけられているところにある。岸田政権は「総合的な防衛体制の強化」(「国家安全保障戦略」)の名のもとに、「エネルギー安全保障」や「経済安全保障」を軍事力と「不可分一体」のものとしている。原子力の開発・利用を、エネルギー・経済の安全保障を確保するための中核に位置づけているのである。

ウクライナを侵略したプーチンのロシアにたいして、帝国主義諸国がいっせいにロシアへの経済制裁にふみきった。ロシアはこれに対抗して欧米諸国への石油・天然ガスの輸出禁止という逆制裁を加え、中立国や途上諸国を抱きこむ手段として選別的に輸出している。こうして、エネルギーの安定的確保をはじめとした「経済安全保障」が、ますます「軍事」と不可分のものとなっているのである。

このようにエネルギー・経済安全保障の中核に位置づけた原子力開発を、「同志国」＝アメリカ・イギリス・フランス・カナダなどと連携して推進し、原子力技術・資源の「国際的なサプライチェーンの再構築」をめざすとしていること、これが第二の特徴である。ネオ・スターリン主義中国およびこれと結託するFSB強権体制国家ロシアに対抗して、帝国主義諸国の経済安全保障と勢力圏構築を実現するために、そのための手段として原子力開発を位置づけているのである。

そして第三の特徴は、日本の原子力産業の再興を「GXにおける『牽引役』」(経産省「アクションプラン」)として位置づけていることである。このGXは「我が国経済を再び成長軌道へと戻す起爆剤」(「基本方針」)とされているのであって、まさしく岸田の

「新しい資本主義」なるものの中核に原子力開発を組みこんだのである。

そしてもちろん、核燃料サイクル開発をあくまでも推進することを明記しているのは、いつでも核武装できる潜在的な核兵器製造能力を維持・強化していくことを秘めたる目的としているからにほかならない。核軍事大国化する中国や核・ミサイル開発に狂奔する北朝鮮と最前線で対峙する帝国主義国家としての国家的威信をかけて、原発・核開発を推進することが鮮明にされているのである。

B 「同志国」との連携

昨年七月の参院選終了直後から、右に見たような原子力政策の大転換をうちだしてきた岸田政権は、日米同盟を基礎に「同志国」と連携しての国際的な原子力「サプライチェーン」構築の策動にのりだしている。

岸田とバイデンが首脳会談において日米帝国主義同盟の強化を確認しあった一月十三日の直前、経産相・西村康稔がアメリカで米エネルギー長官グランホルムと会談した（一月九日）。この会談において両者は、日米のエネルギー安全保障分野での「協力の強化」として、LNG事業への投資の促進とともに、小型モジュール炉（SMR）などの次世代原発の開発や東欧・アジア諸国での原発建設支援を合意した。日米共同のエネルギー安全保障追求の中核として、原発の開発・輸出を強化することを確認したのである。

すでにSMR開発にかんしては、アメリカの新興原発メーカー「ニュースケール・パワー」社の事業に日本の日揮ホールディングスおよびIHIが出資している。日立製作所のGE（ゼネラル・エレクトリック）との合弁会社＝GE・日立ニュークリア・エネジーも、米グローバル・ニュークリア・フュエルおよびカナダのカメコ（ウラン生産会社）と共同でSMR開発にのりだしている。また三菱重工と日本原子力研究開発機構は、ビル・ゲイツが出資するテラパワーが米エネルギー省の全面的バックアップを受けてすすめている高速炉開発に参加している。さらに、昨年四月に八基の原発建設をうちだしたイギリス政府がすすめている高温ガス炉実証炉の開発には、日本原子力研究開発機構がHTTR（高温ガス炉実験炉）での研究〝成果〟を基礎に参加すると発表した（二二年九月）。このように日本は、官民一体となって、アメリカおよびカナダ・イギリスと共同で新型炉開発をすすめているのである。

そして、これを基礎に共同で東欧やアジア・アフリカ諸国への原発輸出にのりだそうとしている。SMR開発で帝国主義諸国では先頭を走るニュースケール・パワーは、ポーランドの二社と建設に向けた覚書を締結、ルーマニア政府も同社製SMRを建設する方針を発表している。これらの売り込みはバイデン政権が前面に出てすすめており、インフラ投資法（二一年十一月制定）にもとづいて全面的な資金援助も約束している。また、日本原子力産業協会と米エネルギー協会は「未来の原子力に向けた日米産業界共同声明」を発表し（二二年十月二十六日）、海外展開の第一弾としてガーナのSMR導入を支援するとうちだしている。

日米両権力者が新型炉開発・輸出に狂奔しはじめたのは、ロシアのウクライナ侵略を契機とする米—中・露角逐の一挙的激化のもとで、ロシアや中国が、原発輸出を有力な手段として経済新興諸国・途上諸国をみずからの勢力圏に囲いこんでいることに危機感を高めているからである。

昨二二年七月二十日、エジプトでロシアの協力のもとに建設が計画されているエルダバ原発（四基）の着工式がおこなわれた。そしてその直後の七月二十四日からロシア外相ラブロフは、エジプトを最初の訪問国にしたアフリカ歴訪を開始したのであった。

また、NATO加盟国でありながらロシアのミサイルを輸入しているトルコも、すでに四基のロシア製原発の建設を一八年から逐次開始している。このトルコの大統領エルドアンは、ウクライナの穀物輸出やザポリージャ原発へのIAEA（国際原子力機関）査察を御膳立てするなど、仲介者ヅラをしながらプーチン・ロシアの国際的孤立を回避する役割を買ってでているのである。

他方、中国は、福島第一原発事故発生の二〇一一年以後、新規原発建設をほぼ皆無に追いこまれた帝国主義諸国を尻目に、二十六基の建設に着手した（二一年まで）。そして、米・仏・露などから導入した技術（註1）を基礎に独自に開発した原子炉・華龍1号をパキスタンに輸出しており、アルゼンチンへの輸出もとりつけている（二二年二月）。

こうしていま原発輸出をめぐる米・日・仏―中・露角逐の焦点となっているのが、東欧諸国・中東諸国・アフリカ諸国である。バイデン政権は、ロシアにエネルギー供給を依存してきた東欧諸国を、原発輸出をも武器としてロシアからきりはなすことにやっきになっている（註2）。また、中東産油諸国は、エネルギー利用の脱炭素・脱石油という世界情勢のもとで、自国の石油資源依存からの脱却の一環として原発を導入しようとしており、すでにＵＡＥ（アラブ首長国連邦）が韓国製原発を導入している。ＯＰＥＣ（石油輸出国機構）の盟主サウジアラビアは計十六基の原発を二〇三〇年までに建設しようとしており、この受注をめぐって水面下での熾烈な争いがくりひろげられている。

原発輸出をめぐる争いは、経済の〈脱グローバル化〉のもとで、核燃料・原発機器・技術者などの囲い込み合戦として、米―中・露の勢力圏争いと結びつきながらいよいよ激化しているのである。

Ｃ　政府主導の再稼働・新増設

岸田政権は昨年八月に、原子力規制委員会の認可を受けていながら再稼働できていない七基の原子炉を、今二三年夏いこう再稼働せよと号令を発した。そして、経産省官僚や自民党国会議員が足しげく原発立地地域に通い、反対運動の切りくずしに狂奔し、地元自治体に圧力をかけてきた。

本年一月十七日、東電会長・小林喜光と社長・小早川智明がそろって新潟県庁を訪れ、知事・花角英世と面会した。二年前に「安全対策」の「不正・不備」が発覚して、規制委から〝運転禁止〟を命じられてきた柏崎刈羽原発の規制委による追加検査がこの春にも終了する見通しがたったとして、6、7号機の再稼働を県が承認するように迫ったのだ。

この訪問の直前の一月十三日、政府は関係閣僚会議を開いて福島第一原発敷地内で増えつづけている放射能汚染水をこの「春から夏」に海洋に放出すると決定した。圧倒的な労働者・人民の反対の声をふみにじり、漁業者との約束をも反故にしたこの暴挙は、福島第一原発の事故処理があたかも順調にすすんでいるかのように見せかけ、もって〝みそぎは済んだ〟として東電による原発再稼働への道を掃き清めるものにほかならない。

さらに一月二十三日に東電経営陣は、火力発電用の燃料費高騰を口実として、家庭向けの電気料金(「規制料金」)を六月から平均二九・三一％も値上げすると経産省に申請した。この値上げ額を算出するにあたって経営陣は、許しがたいことに、柏崎刈羽原発7号機を本年十月に、6号機を二五年四月に再稼働することを前提にしているのだ。そして厚かましくも、二基の稼働を想定したので今回の値上げ幅を「六・八％圧縮できた」などとわざわざ発表した。物価上昇に苦しんでいる労働者・人民にたいして、〝原発の再稼働を認めなければ電気料金をさらに値上げするぞ〟と恫喝したのだ。

他方、すでに多くの原子炉の再稼働を果たしている関西電力の原子力発電所が集中している福井県においては、原発の建て替えに向けた地ならしがすすめられている。昨年十月、自民党国会対策委員長・高木毅が美浜町を訪れ、「リプレースの話が出てきたら、いち早く美浜4号機をやっていただけると思っている」(＝廃炉作業がすすめられている1、2号機の建て替え)とうちあげた。これに先だつ九月二十九日、三菱重工は「革新軽水炉」を関西電力など四社と共同開発すると発表した。岸田政権の主導のもとに、電力独占資本、原発機器製造独占資本、中央・地方の原発推進派政治家どもが、いっせいに原発の新増設に向けて蠢きを開始しているのである。

以上みてきたように、岸田政権は、米・中激突下の激動する二十一世紀現代世界における日本帝国主義の生き残りをかけて、原発再稼働・新増設に突進している。われわれは、決意も新たに原発・核開発反対闘争を推進していくのでなければならない。

　ところが日共・志位指導部は、「原発は日本社会と共存できない」、「持続可能な社会のためにも、省エネルギーと再生可能エネルギーの推進こそ求められている」などと、政府にエネルギー政策の転換を求めているにすぎない。今日の岸田政権の原発推進策動が大軍拡と一体の攻撃であることもまったく感覚できないほどにボケきっているのだ。

　岸田の言う「持続可能な社会」とか「エネルギー安全保障」とかの独占ブルジョア的・帝国主義的本質を暴くことなく、同一の土俵でエネルギー政策の転換を求めることによっては、岸田政権の原発推進をうち砕く力を創造することはできない。再生可能エネルギーの開発は、岸田政権じしんが原発とならぶGXのもうひとつの柱として位置づけているのであって、日共式のエネルギー政策転換要求運動は、岸田政権の尻押しへととりこまれていくものにほかならない。

　日共式のエネルギー政策転換要求運動をのりこえ、原発再稼働・新増設阻止の闘いを推進せよ。原発再稼働反対・運転期間延長を許すな！　原発リプレース・新増設阻止！　核燃料サイクル開発反対！　電気料金値上げ反対！　原発推進と一体の大軍拡を阻止せよ！　すべての原発・核燃料サイクル施設を即時停止し廃棄せよ！

註1　中国においては、米ウェスチング・ハウス社製のAP１０００と、仏フラマトム（旧アレバ）製のEPR（欧州加圧水型炉）が、一八年にそれぞれ世界で初めて稼働を開始した。これらは今日においてもなお、中国においてのみ運転されている。

註2　ウクライナで稼働している原発はすべてロシア製の加圧水型炉（VVER）であるが、アメリカ政府はこれをすべてアメリカ製に建てかえることをウクライナ政府と合意している。日本政府は、部品提供やメンテナンスで日本企業がこれを支援する体制をつくりだそうとしている。昨二二年六月にはウェスチング・ハウスが九基の軽水炉建設をウクライナと合意した。またニュースケール・パワーは二〇年に、ウクライナ政府とSMR建設を合意している。

（二〇二三年二月四日）

危険極まる原発の運転期間延長

桑野　進

岸田政権は原子力発電所の運転期間を六十年超に延ばすための法案を今通常国会に提出することを決めた。従来の「四十年ルール」の枠を超えた「運転期間延長」をおしとおそうとしているのだ。

昨二〇二二年十二月に「グリーントランスフォーメーション（GX）実行会議」において岸田政権は、東京電力福島第一原発事故以降、「新増設はしない」としていた方針の大転換を発表した。原発の再稼働・稼働延長と「次世代革新炉の開発・建設の推進」を二本柱とする方針をうちだしたのだ。

「次世代革新炉」の開発と建設にはかなり長期の年月と一兆円を大幅に超える莫大な資金を要する。それゆえ岸田政権は、新増設にこぎつけるまでの期間、「原発の最大限の活用」の名のもとに、既存原発をその耐用年数を無視して無謀にも稼働させつづけようとしているのだ。

福島第一原発事故の処理作業はまったく終結の目途すらたっていない。被災した人々の多くが十年以上たっても故郷に帰ることもできない。原発事故にみまわれた福島の人民は、甚大な被害に苦しみ、放射能で汚染された大地は回復不可能に陥っている。だがこうした実態をおし隠し「福島の復興」を宣伝しながら、「原発の活用」に踏みだそうとしているのが岸田政権である。極めて許し難い。

「四十年ルール」の所管を規制委から経産省へ

岸田政権は、老朽原発の「運転期間の延長」を法的にも可能にするために、「原子力基本法」や「原子炉等規制法」など五本の法律の改定案を一本化し、「束ね法案」として国会に提出しようとしている（註1）。〔二月二十八日に閣議決定し、国会に提出。〕一括で審議することで一気に国会での可決を目論んでいるのだ。「運転期間延長」のための法律改定の内容は以下のとおりである（註2）。

まず第一に、原発の「運転期間」についての「四十年ルール」を、原子力規制委員会が所管する原子炉等規制法から削除し、経済産業省が所管する電気事業法に移すことである。第二には、電気事業法に「四十年ルール」を一応そのまま明記するが、それに例外規定を付記することである。すなわち、①原子力規制委員会の審査、②裁判での仮処分命令、③安全対策工事などによって原発が停止していた期間などを、経産相が認めるならば延長期間に加算できる、という例外規定を付記しようとしている。たとえば、福島第一原発事故いらい十二年間停止していた原発の場合には、六十年の上限にさらに十二年プラスして七十二年間の稼働を認める制度を導入しようとしているのだ。

この法律改定にこめられた政府・支配階級の狙いは明らかである。これまで原発の運転期間の問題は、福島第一原発事故ののちに制定された「四十年ルール」がそうであったように、あくまで原発を「規制」する側から問題としてきたのであった。それを今後は、原発推進側の経産省が運転期間の延長を統括しようとしているのだ。

しかも例外規定を拡大するなどして「四十年ルール」を事実上無きものにしようとたくらんでいるのが岸田政権なのだ。この政権は、運転期間の上限規制を、経産相が電力需給をふまえて運転期間の延長の必要性を利用政策の観点から判断する規定へと改変しようと目論んでいるのである。

こんにち岸田政権は、既存の原発をできるだけ長く稼働させることに血眼になっている。原発を「重要なベースロード電源」として位置づけ、二〇三〇年の原発の電源比率を「二〇～二二%」とするとしているのが岸田政権だ。この目標を達成するためには一〇〇万キロワット級原発を二十五基稼働させなければならない。だが、二〇三〇年にいまある既存の原発をすべて稼働させたとしても、運転期間を四十年とするならば稼働可能な原発は二十基しかない。さらに、二十年の延長を認めたとしても二〇五〇年には五基しか残らなくなる。建設中の島根原発3号機と大間原発を含めたとしても七基にしかならず、目標達成にはとうていおよばない。それゆえに岸田政権・支配階級は、「次世代革新炉の開発・建設」にこぎつけるまで、既存の原発をできるだけ長く稼働させることをたくらんでいるのだ。

柏崎7号機で発見された直径6センチの配管の穴。11年間の運転停止中にも腐食・劣化が進行している

老朽原発の危険性

老朽原発の稼働延長は、危険きわまりない、まさに狂気の沙汰である。そもそも日本の原発の多くは設計耐用年数は四十年稼働が基準になっている。それを電力資本家どもは、大量の部品や機器を取り替えることによって無理矢理〝寿命〟を延ばしている。だが、原子炉圧力容器をはじめとして多くの配線や部品・重要機器は絶対に取り替えができないのだ。圧力容器は長年にわたる中性子照射による脆化が進行している。いくつかの条件が重なり圧力容器が破損する事態がおきたならば、ただちにメルトダウンにいたり放射性物質は格納容器に漏れだし、大核惨事を引きおこすのだ。

また、停止中原発であっても、圧力容器の内部の錆びや劣化、配管の腐食、配線の絶縁不良などは進行する。原発施設のすべての部品や機器を点検することは事実上不可能だ。たとえば昨年十月に、柏崎刈羽原発7号機でタービン関連施設の配管に直径六センチメートルの穴が見つかった(右頁の写真)。湿気により長年にわたって腐食が進行したことが原因であると言われている。再稼働にむけて長年にわたって検査を実施してきたにもかかわらず、このような事象が今日になってようやく判明する始末なのだ。原発は老朽化すればするほど予測できないような事象がおこるのである。このような危険を孕んだ老朽原発の稼働を長期にわたって延長するならば、第二、第三のフクシマの核惨事は必至である。それは労働者・人民に多大な犠牲を強いる重大な犯罪にほかならない。

岸田政権が危険な老朽原発の稼働に突進しているのは、資源小国日本の「エネルギー安全保障」と潜在的核保有能力を確保するという国家戦略にもとづいて、ロシアのウクライナ侵略によるエネルギー供給の不安定化、エネルギー資源の高騰による制約を突破しようとしているからである。中国・ロシア・北朝鮮という三つの核保有国と対峙している日本帝国主義の岸田政権は、安保三文書を閣議決定し、アメリカ帝国主義とともに「敵国」への先制攻撃システムの構築と大軍拡に突き進んでいる。日本の軍事強国化に狂奔する岸田政権は、あくまでも潜在的な核兵器保有能力を保持しようとしているのだ。

このような国家意志にもとづいて岸田政権は、原発開発を推進する意志を鮮明にし、突進を開始したのだ。

「原発の運転期間延長」法案の国会上程を阻止しよう！　原発の再稼働反対！　一切の原発・核開発を許すな！

註1　改定されようとしている法律は、「原子力基本法」、「原子炉等規制法」、「電気事業法」、「再生エネルギー特別措置法」、「使用済み燃料再処理法」の五つである。

註2　岸田政権が上程をたくらんでいる改定法案では、原発運転期間を延長するための法律改定とともに、原

子力基本法に「原子力利用のGX推進への貢献」を明記している。原子力の利用を、「脱炭素社会実現」などという欺瞞的な粉飾をこらして正当化しながら、積極的に位置づけたのである。

さらに、廃炉作業にともなって出る大量の核廃棄物の処理の莫大な費用を労働者・人民から搾りとろうとしている。各電力会社が個別に実施している廃炉事業を統合し、六ヶ所村再処理工場などの核燃料サイクル事業を担っている認可法人「使用済燃料再処理機構」に担わせ、そのための資金を各電力会社に拠出させることを義務づけようとしている。そうすることによって、電力会社が費用を負担しきれなくなった場合には、「国による関与・監督」の名のもとに税金を投入することができるようにしようとしているのである。

――本誌掲載の関連論文――

- 福島第一原発　政府・東電の「四十年廃炉」方針の破綻　栗本誠也（第三一七号）
- 高速炉開発を阻止せよ　潜在的核兵器保有能力の維持を企む菅政権　田辺敏男（第三一四号）
- トリチウム・放射能汚染水の海洋放出決定弾劾！（第三一三号）
- 関西電力の老朽原発再稼働を阻止せよ（同）
- 菅政権の「創造的復興」策の反人民性　浜風通（同）
- 菅政権の被曝被害もみ消しを許すな　韮山一直（同）
- 3・11東日本大震災・福島原発事故から十年　被災人民見殺し・原発再稼働を許すな　無署名（第三一二号）
- 幌延深地層研の「五〇〇メートル掘削」反対！　核廃棄物処分場建設を阻止せよ　宗谷広志（同）
- 玄海3号機のプルサーマル運転継続反対！　舞川修（同）
- 原発・核開発に拍車をかける菅政権　田辺敏男（第三一〇号）
- 高レベル核廃棄物処分場　寿都町・神恵内村による「文献調査」応募反対（同）
- 六ヶ所村再処理工場　原子力規制委による「適合審査合格」の欺瞞　弘前耕三（同）
- 川内原発1、2号機　再稼働に向け「特重施設」工事に狂奔する九電　K・I（同）
- 福島第一原発　トリチウム汚染水の海洋放出を阻止せよ（第三〇九号）
- 六ヶ所村再処理工場　原子力規制委の「新規制基準」適合決定弾劾（同）

志賀原発再稼働を策し「活断層認定」を否定

昨二〇二二年十二月四日に、経済産業相・西村康稔は北陸三県経済団体懇談会にわざわざ出席して、「志賀原発2号機の再稼働にむけて総力をあげてとりくむ」などとぶちあげた。これに呼応して北陸電力の会長・金井豊は、「エネルギー価格高騰の中長期的抜本的対策として原発の再稼働を!」などと「志賀原発の再稼働」を「エネルギー価格高騰」への「抜本的対策」としておしだした。しかも許し難いことに西村も北電当局も、「二六年一月の再稼働」が既定方針であるかのようにふるまったのだ。彼らは2号機建屋の下を走る「断層」の調査がいまだなお進行中であるにもかかわらず、それを「活断層ではない」と原子力規制委員会に押しつけるハラであることをあからさまにしたのである。〔規制委は三月三日、「活断層ではない」と認定した。〕われわれはかかる暴挙を絶対に許してはならない。

岸田政権の原発政策の大転換

昨年十二月二十二日に開催された「GX実現会議」で了承された基本方針において、原発活用にむけた基本方針が以下のように決定された。①原発を「脱炭素化」にむけた「牽引」役と位置づけ、原発の「再稼働を加速」する。②廃炉が決まった原発の「次世代革新炉」への建て替えのみならず、新たな地域に建てる「新設」や「増設」も検討する。③これまでは最大六十年までの稼働としてきた期間のうち、運転停止期間をそこから省くことによって、六十年を超える老朽原発の稼働をみとめる、というとんでもない方針である。（註1）

昨年の八月に首相・岸田文雄が「原発開発の新たな指針の検討」を指示して以降、経産省は、急ピッチで「原発の再稼働・新増設」プランを練りあげ、原発を抱える地元電力資本との腹合わせをおこなってきた。それにふまえて、今回の新方針が決定されたのだ。まさにそれは、東電福島第一原発事故いらいの「原発への依存度を低減していく」という従来の原発政策を破棄し、「将来にわたって原子力を持続的に活用」していくために「新型原発」の新増設・運転停止中原発の早期再稼働へとふみだした原発政策の大転換にほかならない。

岸田政権は、昨年二月のロシアのウクライナ侵略を契機とする全世界的なエネルギー資源の供給不安定化と石油・天然ガス料金の高騰を絶好のチャンスととらえて政策転換を強行した。三月には東北では「電力逼迫警報」を初めて発令し、六月下旬には季節外れの気温上昇のもとで首都圏を中心とした「電力不安」を意図的にあおりたてた。そして「安定した電力供給」源であり「グリーンだ」などという真っ赤なウソを並べたてて、一挙に「原発再稼働・運転期間延長、新増設」政策をうちだしたのだ。

北陸電力はこうした政府の原発政策の転換に活を入れられて、「燃料価格の高騰による電気料金の値上げや電力不足」は志賀原発を再稼働すれば〝解決できる〟などとまことしやかに宣伝している。だが彼らは、再稼働のための施設建設費用を組みこんだ予算を組んで、一〇〇〇億円もの大幅赤字を計上し、四月一日からその分を穴埋めするためにも一般家庭電気料金の四六％もの値上げの必要性をおしだしているのだ。原発の再稼働が「電気料金値上げを軽減する」などというのは、マヤカシ以外の何ものでもない。すでに各電力資本は、原発の新設に匹敵する資金を追加的「安全対策」に投入せざるをえなくなっており、廃炉や廃棄物処理まで含めれば、原子力による発電は最

も高額なものになっているのだからである。（註2）

「安全審査」データのねつ造

昨年十二月二十三日、原子力規制委員会は、志賀原発2号機再稼働の前提となる新規制基準適合性審査委員会を開催した。北電当局は、2号機直下を通る断層の活動性を否定するための「より明確なデータを取得した」と説明し、規制委側はこれをうけて、「次回で結論をだせるか分からないが、大きな論点は残っていない」などと、「活動性の否定」を匂わせている。だがこれこそ、これまで積みあげてきた調査結果を意図的に抹殺する暴挙なのだ。

北電当局は、二〇一五年段階において、2号機直下の断層について、「活断層ではない」と主張してきた。けれども、当時の規制委が招集した二回の有識者会合は「上載地層法」での評価として、この断層は、新規制基準（「一二万〜一三万年前以降に活動したものを活断層とする」）に該当すると解釈するのが合理的である、つまり「活断層」であるとの認識を示したのだ。これによって、2号機の再稼働のもくろみは完全に頓挫したのだ。（1号機は、建屋下に活断層があることのゆえにすでに事実上「廃炉」とされた。）

この窮地を救ったのが、規制委の石渡明（地質学担当、金沢大学出身）が主張した「鉱物脈法」を使った調査方法である。二〇二一年一月以来、北電当局は、なんとか「活断層ではない」という結論を得るために、規制委のお墨付きを得て、評価方法を「鉱物脈法」に切り替え、それにもとづいて様ざまなデータを集積し、これを規制委に提出してきたのだ。（註3）

志賀原発再稼働を阻止せよ！

中国・ロシア・北朝鮮の核保有国と対峙する岸田政権は、「脱炭素」と「エネルギー安全保障」を大義名分とし、潜在的な核兵器製造能力を確保しつづけるためにも原発の開発・活用を加速させせようとしている。われわれは断じてこれを許してはならない。

この岸田政権の原発政策の大転換を追い風として、

北電当局は一挙に志賀原発再稼働へと突っ走りはじめた。彼らは、一方では「安全審査」をクリアするために調査データを積み重ねて規制委のお墨付きを得ようとしている。他方で、〝原発稼働停止のもとでの石油・天然ガス依存の発電では電気料金値上げは不可避である〟と労働者・人民を脅迫し、二月にも「公聴会」を開催して「住民の意見を聞いた」というアリバイをデッチあげようとしているのだ。岸田政権による志賀原発再稼働・新増設反対！ 政府・北陸電力による志賀原発の再稼働を許すな！ 電気料金の大幅値上げ反対！ 直ちに反撃の闘いに起ちあがろう！

註1　「原則四十年、最長六十年」の運転期間ルールは、東京電力福島第一原発事故後に与野党で合意され、原子力規制委員会が所管する法律にも組みこまれた。だが、今回の新方針ではこのルールを経済産業省の所管に移すことにしている。「推進と規制の分離」という形式をもなし崩し的に反古とするものである。

註2　これは昨年の十一月四日に発表された。実にこの値上げによって、標準家庭（月間使用量二三〇キロワット時）の一ヵ月分の料金は、六四〇二円から九〇九八円へとはねあがる。二六九六円も負担が増えるのだ。たとえ政府が一六〇〇円を補助するとしても、一〇〇〇円以上の値上がりなのだ。まさに前代未聞の大幅値上げである。

　そもそも北陸電力は、一九九九年に志賀原発1号機で「臨界事故」をひき起こしたことを二〇〇七年まで隠蔽してきた。2号機も、二〇一一年に運転停止される前まで、冷却弁の故障や、タービン関連のトラブルでたびたび運転停止をくりかえしてきた。こうしたトラブルの修復にかかる費用の一切が、電気料金に加算されてきたのだ。

註3　断層の活動性の判断がもっとも有効なのは、上に載る新しい地層の断層によって変位しているかどうかを観察することであり、これを「上載地層法」という。この方法が適用できない場合に、新しい時代の岩脈や鉱物脈の断層変位の有無で判断する。これを「鉱物脈法」という。だが、「鉱物脈の形成年代を正確に決定するのは一般に困難である」と提唱者である石渡自身も述べている代物である。

笠　舞　徹

放射能汚染水の海洋放出を許すな

二〇二三年一月十三日に岸田政権は、東京電力福島第一原発の放射能汚染水の海洋放出について「今年春から夏ごろ」に開始するという方針を発表した。岸田政権は、既存原発の再稼働・運転延長や原発のリプレース・新増設、新型炉の開発などの原発推進政策へと舵をきった。この政権は、福島原発事故を制御しきったかのようにおしだすために、事故が今なおうちつづいていることの象徴となってきた増えつづける放射能汚染水について、〝処理を施せば安全〟などと強弁して海洋に放出しようとしているのだ。地元の漁民たちをはじめとする労働者・人民の囂々たる反対の声を踏みにじり、放射能汚染水の海洋放出を強行する岸田政権を、われわれは断じて許してはならない。

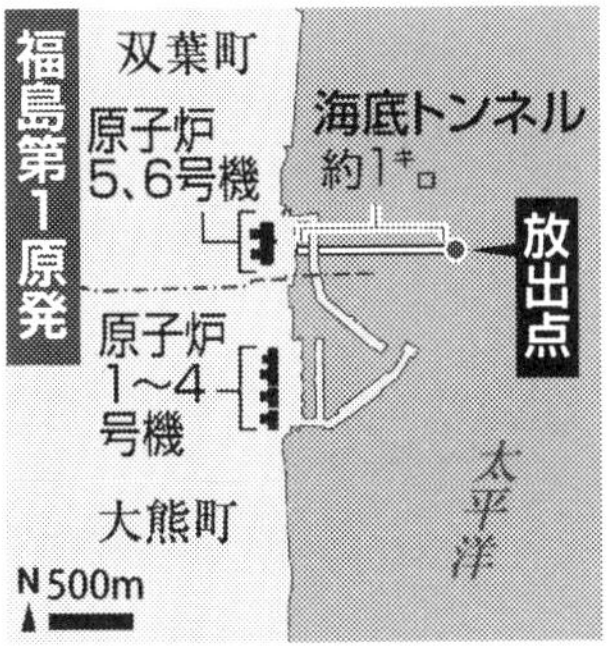

福島原発事故から十二年が経とうとしている今もなお、大熊町・双葉町などをはじめとする広範な地域には住民が帰還することもできず、約四万人もの人々が避難を余儀なくされている。福島第一原発では、溶け落ちた核燃料を外部から遮蔽することすらできていない。原子炉建

屋には日々大量の地下水が流れこみ、燃料デブリを冷却するために注入されつづけている水と混じりあって、東電の発表でも毎日約一〇〇トンもの高濃度放射能汚染水が新たに生じている。「凍土壁」を使った地下水の遮蔽も完全にパンクした。原発の敷地内を埋めつくすように建てられた巨大なタンク群には、じつに約一三二万トンものトリチウム汚染水が貯蔵され、新たなタンクを建設しなければ今年夏から秋ごろには満杯になるといわれている。福島第一原発は「アンダーコントロール」どころか、いまだ制御できずにいることがますますあらわとなっているのだ。

汚染水海洋放出のための海底トンネル内部

　こうした状況をば、原発推進にとっての〝不都合な現実〟とみなしている岸田政権は、汚染水問題を解消することをねらって、トリチウムをはじめとする放射性物質を大量に含んだ汚染水を「処理水」などと称して海洋に放出しようとしている。〝海水で希釈してトリチウム濃度を下げれば安全性に問題はない〟などと強弁しながら。

　だが、トリチウムを薄めれば安全だなどというのは、たれ流されたトリチウムが食物連鎖をつうじて濃縮され、人体にとりこまれて内部被曝をひきおこすことをまったく無視した詭弁にほかならない。このようなトリチウム汚染水の危険性についてはいっさいおし隠したうえで、問題を「風評被害」（人民の不安は非科学的だというのだ）にきりちぢめ、わずかばかりの補償金を漁協などに支払うことをもって海洋放出に踏みきろうとしているのが岸田政権なのだ。まったく許しがたいではないか。

　ロシアによるウクライナ軍事侵略を発端としたエネルギー資源の供給の不安定化と、「異次元の金融緩和」による円安ともからみあっての輸入価格の高騰のもとで、岸田政権は原発推進へと舵をきった。まさにそれは、資源小国・日本の「エネルギー安全保障」の確立という国家戦略にもとづいている。しかも岸田政権は、台湾併合に向けた策動を強化している中国や「使える核兵器」の実戦配備に突き進む北朝鮮に対抗して、日本国家の潜在的な核兵器製造能力を確保しつづけることをも目論んでいる。岸田政権による原発再稼働・新増設・新型炉開発への突進は、中国・ロシア・北朝鮮に対抗してアメリカとともに戦争を遂行する軍事強国へと日本を飛躍させる策動とも軌を一にしているのだ。こうした原発・核開発の推進のためにこそ岸田政権は、福島原発事故をもはや過去のものたらしめようとしているのだ。

われわれは、岸田政権および東電経営陣による福島第一原発からの放射能汚染水の海洋放出を断じて許してはならない。原発再稼働・新増設・新型炉開発に反対せよ！　原発・核開発反対の闘いを今こそ巻きおこそう！

〔解説〕　トリチウムの危険性　トリチウム（三重水素＝T）は、酸素と結合したトリチウム水（HTO）として体内にとりこまれる。とりこまれたTは容易にDNAや糖などの水素とおきかわる。Tはβ線を出してヘリウム3に変わる（半減期一二・三年）。するとDNAの化学構造が変化し、遺伝情報に変異が生じるのである。

福島に軍事技術開発拠点構築の策動

東日本大震災と東京電力福島第一原発の事故から十二年。日本の大軍拡に突進する岸田政権は、あろうことか、震災と原発事故によって人が住めなくなった被災地・福島の沿岸部を「デュアルユース(軍民両用)技術」という名の軍事技術の開発拠点たらしめるというどす黒い計画を策定し、かつその実施に着手している。〃復興の拠点〃と称して南相馬市に建設された「福島ロボットテストフィールド」は、いまや防衛省が無人機の開発・運用実験をおこなう場にされている。そして、この四月には、「世界最先端の研究・開発の拠点」と銘うたれ「被災地復興」の牽引役であるかのように喧伝されている「福島国際研究教育機構」が浪江町に開設される。この「機構」の設置こそは、岸田政権が被災地・福島に軍事技術開発をも企んで軍・産・学共同の拠点を構築する悪辣な策動にほかならない。われわれは、岸田政権のこの暴挙をぜったいに許さない。

軍事用無人機の実験場

被災地・福島に軍事技術開発拠点を構築する実態はこうだ。

①二〇二〇年三月に開所し、現在は「福島イノベーション・コースト構想推進機構」に管理運営され

ている「福島ロボットテストフィールド」（東西約一〇〇〇メートル、南北約五〇〇メートル）。この施設を防衛省・防衛装備庁は、「災害対策」の名目で頻繁に活用している。その実態は隠されているが、おそらくは軍事用のロボット・無人機の操作・動作の実験を、水中、陸上、空中でさまざまな形態で実施しているにちがいない。

ちなみにこの施設には五〇〇メートルの滑走路があり、無人航空機の飛行実験がおこなわれている。隣接する浪江町にも四〇〇メートルの滑走路があり、浪江と南相馬の一三キロメートル離れた両滑走路間で無人機を飛ばせて実験している。

防衛省の技術研究本部がうちだしているロボット実験場活用案

②そもそも、このテストフィールドを開設する構想（「福島イノベーション・コースト構想」）の一環として、防衛省は、「CBRN（化学・生物・放射能・核）対応遠隔操縦作業車両システムの研究」なるものを謳っていた（図参照）。

これは、生物・化学剤、放射能に汚染された環境下で、衛星を介して二〇キロメートル離れた場所から遠隔操縦できる無人車両システムを構築するというものである。まさに、核戦争や生物・化学兵器による戦争において使える武器の開発にほかならない。

許しがたいことに、放射能に汚染された原発事故被災地をこうした実験に活用すると公言していたのが政府・防衛省だ。そして実際に、軍用ロボット・ドローンの研究・開発にこの地を利用しているのだ。

③自民党政権・防衛省は、福島イノベーション・コースト構想推進機構や自治体に、先端技術をもつ民間企業や研究機関をテストフィールド内の研究棟や周辺の工業団地に誘致させてきた。そうして、これらの民間企業がもつ先端技術を軍事転用する追求

にのりだしているのである。

　イノベ推進機構は、無人機の実演展示会を開催した（昨年九月、三十六の企業・研究機関が出展）。高速で飛んだり、暴風に耐えられるドローン、ぶつかっても壊れない人型ロボット、がれきの中に入っていくホース状のロボット、はては自動追尾飛行ができるドローンなど。じつに戦場での過酷な使用や敵のせん滅に活用できるロボットが陳列されたのだ。

　いまや〝ドローン戦争〟といわれるほどに戦場において不可欠な無人機。岸田政権・防衛省は、民間の無人機開発技術の軍事転用を促進するためにこそ、この実演展示会を開催させたのである。

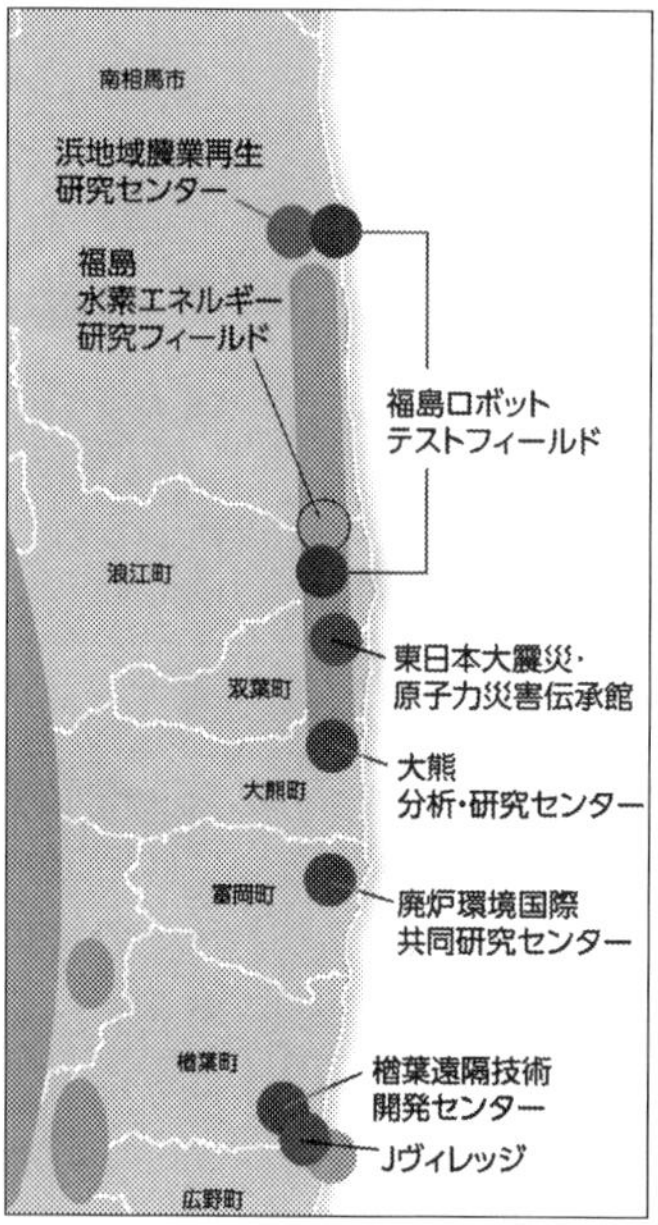

　この実演会は、米国防総省の国防高等研究計画局（ＤＡＲＰＡ）が主催するロボットコンテスト「ＤＡＲＰＡ　ロボティクスチャレンジ」をモデルにしたものだ。ＤＡＲＰＡは、民間がもつ先端技術を常時監視し多額の資金援助をつうじて軍事技術開発に役立てることを任務としており、ロボットコンテストもそのために開催している。防衛省はこのＤＡＲＰＡの手法を必死でまねているのだ。
　だからこそ、首相・岸田文雄は実演会の翌日にわざわざこのテストフィールドを訪れ、無人機開発が国家プロジェクトであることを訴え誇示してみせたのだ。

軍・産・学共同の推進

　④岸田政権は、「福島国際研究教育機構」を浪江駅西側（二〇一七年三月に避難指示解除）に建設することを昨年九月に決定した（註）。この「機構」を岸田政権は、ＣＳＴＩ（総合科学技術・イノベーション会議）の統制下におくことにした。このＣＳＴＩこ

そは、岸田政権が謳う「デュアルユース技術」開発のいわば〝司令塔〟であり、〝軍・産・学共同〟推進の中心組織だ。

このCSTIの常勤議員であり、「安保三文書」を策定するための有識者会議のメンバーでもあり、そして、ほかでもない「福島浜通り地域の国際教育研究拠点にかんする有識者会議」のメンバーでもあるのが上山隆大という御用学者（政策研究大学院大学客員教授）だ。上山は、「安保三文書」策定のための会議において次のように言った。「わが国では、科学技術者がデュアルユースをはじめとして、安全保障〔目的の研究〕を避ける傾向がある。安心して安全保障上の研究ができる特別の空間を大学の内と外に作ることも必要だ」と。

岸田に最も重用されているだけでなく、「機構」の設立に直接にたずさわっているこの御用学者の弁に、明確に示されているではないか。岸田政権は、国家安全保障戦略にもとづいて福島における軍事技術開発の拡大・強化を企み、そのために「機構」を設立しようとしているのである。

ロシアのウクライナ侵略によって米―中・露の対立が激化し世界大戦の危機が高まるもとで、岸田政権は「台湾有事」に備えて、アメリカとともに先制攻撃体制の構築に狂奔している。「軍民融合」の技術開発を国家戦略として先端技術を用いて軍事力を飛躍的に強化するネオスターリン主義・習近平政権。この中国にたいする危機感にかられているバイデン政権の要請に応えて、岸田は一月の日米首脳会談においては「国家安全保障に不可欠な重要・新興技術の協力」をバイデンに確約し、アメリカの主導のもとに日本の民間先端技術を軍事的に転用する体制づくりに突進している。「機構」の創設は、まさにこの追求の一環にほかならない。

被災人民の切り捨てを許すな!

「機構」が建設される浪江町は、第一原発が立地する双葉町の北に隣接し、いまなお町の大半が帰還困難区域であり、その面積は被災自治体のなかでも最大である。事故当時、住民たちは津波被害にあって助けを求める生存者を助けることもできずに、襲いかかる放射能から必死で避難せざるをえなかった。そうして、深刻な健康被害と心の傷を負いながら多くの人々が長きにわたる避難生活を送っている。だからまた、原状回復と損害賠償を求める訴訟を、多数の住民が原告団を結成してたたかっているのである。

この被災地を戦争の武器開発の拠点にする岸田政権は、呻吟する被災人民にこれへの協力・従属を強いているのだ。この被災人民切り捨てを許すな!

福島の軍事技術開発拠点化を許すな! 岸田政権による原発再稼働・新増設・運転期間の延長反対! 放射能汚染水の海洋放出を許すな!

註 「福島国際研究教育機構」仮事務所の四月の開設式には首相・岸田が訪れる予定であり、二〇二四年度の本格開所をめざすという。海外から研究者を招き、約五十の研究グループに数百名の参加を想定。事業費として七年間で一〇〇〇億円もの血税を投入する計画だ。研究開発分野は主に以下の五分野とされている。①ロボット、②農林水産、③エネルギー、④放射線科学・創薬医療、放射線の産業利用、⑤原子力災害にかんするデータの知見の集積・発信。

浜　風　通

東電福島第一原発

「四十年廃炉」計画の破綻

栗本誠也

原子力損害賠償・廃炉等支援機構（以下、機構）は二〇二二年十月十一日に発表した東京電力福島第一原発の『廃炉のための技術戦略プラン二〇二二』において、「船殻《せんこく》工法」なる「燃料デブリ取り出し」の新工法を公表した。原子炉建屋全体を鉄製の構造物で囲ってしまうこの工法は、最高責任者がみずから「できるかどうかもわからないもの」などと口走るほどのものでしかない。

とはいえ、廃炉の主要計画を次々と断念に追いこまれた機構が今回の『技術戦略プラン』において、「石棺」に似た「船殻工法」なるものを口走った意味は大きい。昨年八月二十四日に「第二期の最終段階の目標」であった2号機からの「燃料デブリの試験的取り出し年内開始」を「断念」したことに示されるように、「四十年廃炉」計画の破綻が隠しようもなく露わになっている。こうした状況のもとで、機構がこれまでの「デブリ取り出し」一辺倒の戦略からなし崩し的に転換したことを意味するからだ。

すでにわれわれは、「四十年廃炉」の看板について、政府・東電が「この看板を居直り的に破棄して、一切の犠牲を労働者・人民におしつけるにちがいない」と暴露してきた（本誌第三一七号）。事態はまさにわれわれの予測どおりに進行している。政府・東電経営陣の労働者・人民に犠牲を転嫁してののりきりを許すな。

1　燃料デブリ「長期保管戦略」への転換

廃炉機構が公表した「船殻工法」なるもの

機構が『技術戦略プラン二〇二二』において提案した「船殻工法」とは、さしあたり3号機において、原子炉建屋を地下から天井まで全体を鋼鉄製の巨大な容器で覆ってしまうものである。そしてこの建屋を覆った巨大な構造物に、水を満たし、構造物の上部からロボットアームでアプローチして、水の中から燃料デブリを取り出すとされる。それはいまだ「検討されていない」「できるかどうかわからない」「自信がない」工法なのだそうだ。

原子力規制委員会委員長を降りた更田豊志は「デブリを水の中から取り出すのであるから作業者の被曝を抑えることは他の工法よりはるかに可能ではあろう」と評した。そもそも燃料デブリは格納容器内にある圧力容器をささえる台座ペデスタルの外部に流れ出て飛び散っているのだから、上部から取り出すことなどできないと良識ある学者だけでなく国際廃炉研究機構ですら判断せざるをえなかったことを忘れたかのような言辞である。

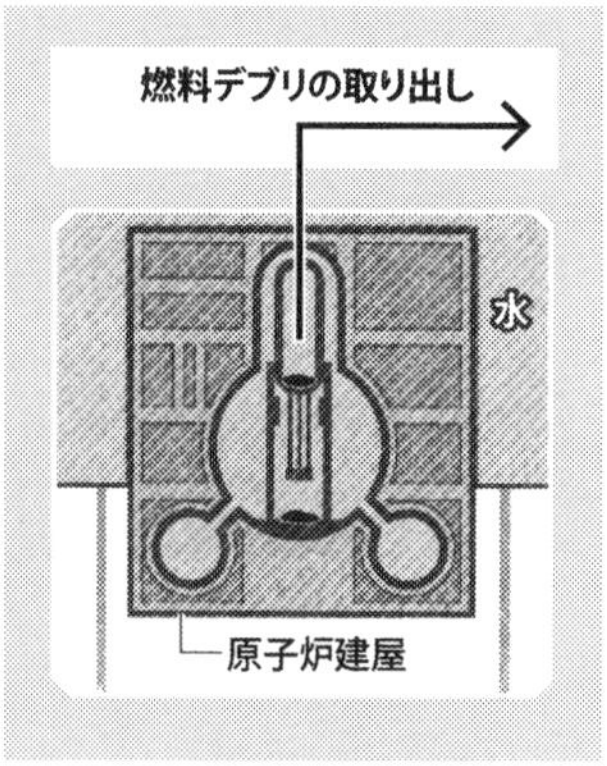

原子炉建屋全体を三重の鉄製構造物で囲って水を張る

だが、原子炉建屋全体を囲ったうえで、燃料デブリの取り出しを先送りするということも可能である。原子炉建屋三基をチェルノブイリの「石棺」方式を真似て巨大な金属構造物でただ上から覆うだけでなく、それぞれの地下からも大容器で丸ごと覆いつくすという構造物の建設計画は、フクシマ版の〝石棺方式〟といえるのだ。

「四十年廃炉ロードマップ」の破綻

この新工法の提起こそ、二〇一一年の福島第一原発事故いこう十二年間まことしやかに吹聴されてきた、「冠水工法」や「気中アクセス工法」などの「燃料デブリ取り出し工法」にもとづく「四十年廃炉の中長期ロードマップ」の破綻を自認するものにほかならない。

事故直後は一九七九年に発生したTMI（スリーマイルアイランド）事故の教訓とされた「冠水工法」がまことしやかに提案された。だが、「冠水工法」は、圧力容器の底部から溶融した燃料デブリが流出し、さらに「原子炉安全の最後の壁」であった格納容器も大地震で破損し漏水しているという決定的事実を隠ぺいするための道具だてであった。

格納容器の地震による破損のゆえに「高濃度のストロンチウム」が地下水から検出された時点で「燃料デブリ取り出し計画」は本質的にも現実的にも破綻したのである。にもかかわらず日本政府・東電経営陣は、この決定的問題をおし隠しながら「気中—横アクセス工法」（一八年）や、「試験的取り出し」（一九年、「小さじ一杯」程度）計画などで人民をだまくらかしてきた。

昨年八月二十五日、東電経営陣は「2号機のデブリの試験的取り出し作業」の「二二年内の開始を断念」した。この「二回目の断念」は、たんに国際廃炉研究機構と三菱重工業とイギリスの核関連企業との共同でのロボット技術開発の遅延によるだけではない。「モックアップ試験」（実物大の模型を使った試験）を経て、「気中—横アクセス工法」の不確実性・インチキ性が今や誰の目にも隠しようがなくっているからなのである。

端的に言って遮蔽に水を使えないために膨大な労働者被曝は避けられず、格納容器に開けた「取り出し貫通孔」の反対側にある燃料デブリはペデスタルの壁に阻まれて見ることすらできないのだから取り出しようがない。そもそも「開発中のロボットアーム」による「試験取り出し」の「採取量」はわずか一ミリグラムが限界なのだそうだ。ロボットアームの先端についた金ブラシでデブリをこすりとり、吸引機でデブリを水中で水ごと吸い上げるという。今後技術的にいくら改良を重ねても、アームで持ちあげられる最大量は一〇キログラムが限界と推定されている。推定八八〇トンの燃料デブリを取り出すためには、仮に一日一〇キロ取り出したとしても、「二四一年」かかる。そもそも、取り出したデブリを持って行く先も確保されていないのだ。かかる観念的な工法をまことしやかに吹聴して人民を愚弄しつづけた罪は極めて重い。

新たな「石棺方式」の提示

福島第一原発事故から十二年、事故炉はいまだ「廃炉は手付かず状態」だと原子力学会でさえ言わざるをえない状況にある。メルトダウンにより放射線を浴びた事故炉は経年劣化を深めいよいよ危険限界に達している。しかも「燃料デブリ取り出し工法」のインチキ性が満天下に露わになっている状況のもとで、機構は、かねてから「急いではだめだ」と苦言を呈していた原子力学会の学者たちの提言にのっかったにちがいない。原子力学会の宮野廣（廃炉検討委員会委員長）は「やみくもに燃料デブリ取り出しを進めようとしても途中で行き詰まる」「そろそろ廃炉工程を見直してもいい時期に来ている。百年先まで見越して、ステップでやろうというのが提示できると皆さん方向が一緒になってよい具合に進む」と腹の内をあかし「安全貯蔵・部分撤去」を提案した。機構はこの提案にのっかったにちがいない。

一六年七月一日に公表された『廃炉のための技術戦略プラン二〇一六』において機構はチェルノブイリと同じ「石棺方式」を提示したのだった。当時原子力の専門家は誰しも、「デブリ取り出し」など不可能であると予測していたのだからである。しかしこの「石棺方式」は地元福島県の首長などから猛反発を受けた。機構は直ちに引っ込め、その後触れることをタブーとしてきた。それ以降六年間、「デブリ取り出し工法」なる嘘八百をあれやこれやと並べたて人民を〝四十年廃炉の幻想〟でだましつづけてきたのだ。

こうして今、機構は、将来、「燃料デブリ」の一部を「冠水」で取り出すとしながら、事故炉を三つの建屋ごとに丸ごと「鋼鉄製の石棺」に包みこみ放射能の拡散を防ぎつつ長期保存する案を提示するにいたったのだ。「デブリ取り出し」案を残したまま、「百年間」いや「数百年」の「長期保管・部分撤去」戦略になし崩し的に転換したといえる。

福島第一原発の事故処理事業は少なくとも今後数百年つづくことがいよいよ明確になった。原発事故の惨禍とはかくも惨たらしいのである。

以上みてきたように、すでに専門家レベルでは、「四十年廃炉」を信じる者はもはやほとんどいない。にもかかわらず岸田政府・東電経営陣は、なおも「四十年廃炉」の「ロードマップ」にもとづいて泥縄式の杜撰な事故処理をつづけているのである。

2　廃炉「危機管理」の危機

「配管撤去工事」の中断

いま福島第一原発においては、廃炉管理と廃炉管理組織の崩壊的危機が露わになっている。

1、2号機につながる高濃度に汚染された配管が昨年八月から、撤去工事の途中で放置されている。今もしも大地震が襲ったなら配管の落下による放射性物質の飛散・汚染の危機にある。この配管は、十二年前のメルトダウン事故時に原子炉内の汚染蒸気を放出するベントに使用された高線量の配管であり、撤去工事は本二二年度の廃炉のためのメイン工事であった。

ところが東電廃炉推進カンパニーの最高責任者・小野明は、昨年七月二十八日、配管撤去工事計画の全面的断念を公表し、いまだ今後の展望も明らかにできないでいる。この「配管撤去工事の断念」の意味は大きい。なぜなら1号機はこの配管を撤去しなければ「使用済み核燃料三九二体」と「燃料デブリ取り出し」のために建屋を覆う大型カバーを設置できないからである。

工事は直径三〇センチ長さ六五メートル（1号機）の配管と七〇メートル（2号機）の配管を二十六分割し撤去する計画であった。工事は一昨年から開始され昨年三月から配管の切断撤去に入った。終始トラブルをくりかえしつつ、二回目は大型クレーンで吊るしたチェーンソー（切断器具）を遠隔操作し配管の一ヵ所を九割切断したところで刃が配管に食い込み重機が動作不能に陥った。配管は宙にぶら下がり落下防止の対処をするまで五十日かかった。同じ失敗を数ヵ月くりかえした。

配管落下の危険という緊急事態に動転した機構は、大量の労働者を現場に投入して、落下寸前の配管にワイヤーロープを巻きつけ固定するという危険な作業を担わせた。現場は労働者が数時間とどまれば確実に死ぬとされる毎時四シーベルトの放射線量の作業場である。第二次災害の想定もせずに主観的予測や恣意的予測や賭けのような判断で労働者を事故現場に突っ込ませたのである。

「被曝管理」の崩壊

多くの労働者がこの工事で大量被曝を強制された。ワイヤーでの配管固定作業のために二一年八月に十六人、昨二二年四月二十日には九人が、同五月二十三日には三人が、七月二十六日には二十五人が大量被曝した。かかる労働者の犠牲のうえでの「計画断念」であるにもかかわらず、最高責任者・小野は、杜撰な「工事計画」を棚に上げて、「配管切断技術の脆弱性」や「（ワイヤーソウの）模擬訓練が不十分」とか「不具合が起きた時の対処策も検討もできていなかった」などと、現場で被曝した労働者たちに責任を転嫁したのだ。

この種の切断工事で刃が切断対象に咬むといったトラブルの想定も対処も検討もしない工事管理者がいったいどこにいるのか。問題は機構・東電が、かかる〝場当たり的〟な対策しかできないほど管理不能に陥っていることにある。

廃炉現場で働く毎日五〇〇〇名ほどの労働者はほとんどが未熟練労働者だ。事故後の廃炉作業のほとんどが過去に類例のない高線量下での「非定型の作業」である。しかも今回は配管落下寸前の緊急事態への対応である。おそらく切断具の技術学的・工学的分析も十分せずに、労働過程の外での実験もしなかったのであろう。労働者たちは、教育も訓練も十分に受けられず、「安全対策」もそっちのけであった。同じ失敗を半年もくりかえすのは管理者が対応不能状態に陥っていることを示してあまりある。危機を労働者に過酷な被曝を強いてのりきることは断じて許されない。

撤去工事が中断されたままの1、2号機につながる配管

ずさんな地震対策

つねに大地震の危機に相対せねば労働できないのが福島廃炉現場だ。昨年三月十六日には福島県沖をマグニチュード7・4の地震が襲った。直後からこの1号機の冷却水の水位がどんどん低下し注水量を時間当たり三・五立方メートルに増やして四〇センチでくいとめた。十二年前の大地震によって生じた1号機格納容器内にある亀裂・損傷部が今回の地震でさらに拡大したのだ。

1号機は大地震に耐えられるのか。内部では、圧力容器を支えるペデスタルという鉄筋コンクリートの厚さ一・二メートルの台座が、メルトダウン時の一二〇〇度以上の燃料デブリに溶かされ鉄筋がむき出しになり崩壊寸前の危機にある。ペデスタルの支持力も耐震性も低下し、もし支えきれなければ圧力容器が格納容器内で落下するという危機にある。少なく見積もっても震度六強（四四〇ガル）の地震動

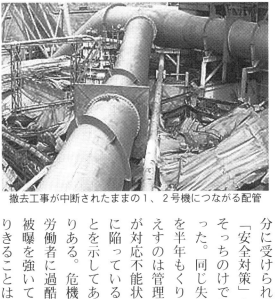

で圧力容器と使用済み燃料プールは損壊しかねないのだ。まさに1号機は「再臨界」の危険性にすらある。

設備劣化の進行

大震災から十二年が経過した事故炉は多くの設備が経年劣化し危険限界が迫っている。一七年八月いこう稼働してきた「凍土遮水壁」という遮水効果の低い〝スダレ壁〟も劣化が激しく修復不能状態であり敷地内は〝汚染沼〟だ。三四五億円という莫大な資金を投入したこの壁も「七年間の耐用年数」が経過した。また、トリチウム入りの汚染水の海洋放出計画を進めている機構・東電は、汚染水に含まれている放射性物質をアルプス（多核種除去設備）で浄化しているのであるが、この浄化によって発生するセシウムやストロンチウムなどを含んだ「高濃度の放射性汚泥（スラリー）」を管理する「高性能減容器（ＨＩＣ）」の保管設備が今や満杯に達しているのだ。そればかりか既設の「高性能減容器」も経年劣化が激しく交換できない状態になっているのである。

原因は、十二年前の事故以降、機構・東電が、汚染水を増大させないための抜本的対策（地下ダム方式など）を放棄し、各種装置や部品の交換や定期メンテナンスも放棄してきたことにある。彼らは、新たな価値を生まないとみなした事故処理を、できるだけ安価に・手間をかけずに場当り的におこなっているのだ。まさに現代の独占資本家的技術の反人民性を示してあまりあるではないか。

3　〝フクシマの悲劇〟を隠蔽し原発推進に狂奔する岸田政権

福島第一原発は、今なお「原子力緊急事態宣言」下にある。にもかかわらず岸田政権は老朽原発の運転延長・リプレースなどの原発積極推進政策に大きく舵を切った。昨二二年十二月二十二日、「脱炭素社会」を議論すると称する「ＧＸグリーントランスフォーメイション実行会議」において岸田政権は

「原子力は不可欠な脱炭素のエネルギーだ」として、老朽原発の運転延長・リプレースなどをうちだしたのだ。岸田政権は福島第一原発廃炉の行き詰まりを隠蔽し大事故の〝後始末〟などお構いなしに強権的に原発政策を推進しようとしている。原子力規制委員会も十二年前の事故の歴史的教訓であった「運転期間四十年ルール」をも放り投げ、電力資本が最も渇望する「運転期間の延長」を決定した。建設投資をすでに回収し終えた原発を、その危険性などお構いなく使い倒すという目論見なのだ。

原子炉の容器や配管やケーブルなどは、飛び交う中性子の照射期間が長ければ長いほど確実に脆化が進行している。しかもこの脆化の進行状況を全面的に測定する「非破壊検査」技術はいまだ存在せず、代替的におこなっている「監視試験片」による調査は、気休めにもならない。こうした現状で「運転期間の延長」に門戸を開くことこそ危険きわまりないのだ。

プーチンのウクライナ侵略を契機として、東アジアにおいても台湾を焦点として米・日と中が激突し、全世界は第三次世界大戦へ発展する可能性を孕んだ〈大軍拡競争〉の時代に大きく変わろうとしている。かかる危機的情勢にあって岸田政権は日本国家をアメリカとともに戦争をやれる軍事強国として飛躍的に強化しようとしている。開始した原発再稼働をはじめとする原子力政策も「エネルギー安保」という軍事大国日本の国家安全保障の要として位置づけなおされている。

しかも、日本帝国主義国家は「ウラン濃縮」「原子炉」「再処理」という核兵器製造の基盤となる三技術を堅持している「潜在的核兵器保有国」である。それだけではない。昨年二月に安倍晋三が提唱したアメリカの核兵器の「日米共同運用(シェアリング)」に示されるように、今や日本支配階級の一部は、日本を「核抑止力を持つ」軍事大国へ大きく飛躍させることをたくらんでいるのである。日本労働者階級はかかる攻撃を断じて許してはならない。

怒！

国際・国内の階級情勢と革命的左翼の闘いの記録（二〇二二年十二月～二〇二三年一月）

国際情勢

12・1 米大統領バイデンが訪米した仏大統領マクロンと会談しウクライナへの武器援助継続を確認

▽EU大統領ミシェルが訪中し習近平と会談、ロシアの核威嚇に自制を求めると表明、習も同意

12・2 G7、EU、オーストラリアがロシア産原油の輸入価格上限を1バレル＝60ドルに（5日から）。上限を設けた国にプーチンが輸出禁止の大統領令（27日）

12・5 **ウクライナが国境から500キロの露エンゲリス空軍基地など2ヵ所にドローン攻撃**。米国務長官ブリンケンがウクライナを非難せず（6日）。6日と26日にも各1ヵ所ドローン攻撃。ウクライナ外相クレバが露の攻撃拠点に反撃する権利を主張（9日）

▽中国政府が「白紙運動」を恐れ「ゼロコロナ」策を緩和し地下鉄・バスが陰性証明なしで乗車可能に

12・7 ペルー議会が急進左派の大統領カスティジョ弾劾決議を可決、副大統領ボルアルテが大統領に

12・8 **習近平がサウジアラビアで皇太子ムハンマドと会談しITやインフラ支援など戦略的包括協定に調印**。サウジで第1回中国・アラブ諸国会議開催、全面協力を謳う「リヤド宣言」を採択（9日）

12・12 G7首脳がオンライン会議、ウクライナ支援継続、ロシアへの賠償請求などを確認

12・13 米・アフリカ首脳会議を8年ぶりに開催（～15日、ワシントン）。アフリカ連合のG20参加を支持

12・14 EUとASEANが初の首脳会議（ブリュッセ

国内情勢

12・1 「連合」中央委員会でベースアップ3％、定昇込みで5％程度の賃上げ要求を決定

▽大企業の内部留保が505兆円に

▽公正取引委員会が中部電力、中国電力、九州電力にカルテル結成の問題で1000億円の課徴金を命じる処分案を通知。主導した関西電力は自己申告したがゆえに免除

12・2 米日韓が北朝鮮への追加制裁を発表

▽自民・公明が「敵基地攻撃能力」の保有で合意

▽参院本会議で22年度第2次補正予算案が可決・成立、物価対策など28・9兆円

12・5 北朝鮮が日本海や黄海へ砲撃、6日も

12・7 金属労協が賃上げ要求6000円に決定

12・8 10月の経常収支が641億円の赤字

▽経済産業省「原子力小委員会」が原発建て替え、運転期間延長の指針案を大筋了承

12・10 統一協会にかんする被害者救済法案などが参院で可決・成立

▽軍拡問題など審議せずに臨時国会が閉会

12・14 日銀短観12月の業況判断指数で大企業製造業がプラス7、4期連続悪化

12・15 厚生労働省が75歳以上の医療保険料を24年度から中間所得層も対象に年4100円引き上げる最終案提示

▽空自三沢基地で無人「偵察航空隊」の運用開始

革命的左翼の闘い

12・1 愛知大学・名古屋大学のたたかう学生と名古屋地区反戦が習近平政権の人民弾圧に抗議する中国総領事館前闘争（名古屋市）

▽全学連北海道地方共闘会議と反戦青年委員会が中国総領事館に抗議闘争（札幌市）

12・3 琉球大学学生会と沖縄国際大学学生自治会が辺野古新基地建設反対の「県民大行動」（オール沖縄会議主催、名護市辺野古）で奮闘。わが同盟が情宣

12・4 **革共同政治集会**（松戸市民会館）**を1300名の労働者・学生の結集のもとに圧倒的に実現**。革マル派結成60年にむけて反スターリン主義運動の飛躍のための思想的・組織的拠点をうち固める。同志・平川桂が「世界大戦の危機を突破せよ」と訴える基調報告を提起し、〈プーチンの戦争〉を打ち砕くわが闘いの前進を確認。同志・前原茂雄が「反スタ運動の原点を追体験しさらに飛躍しよう」とよびかける特別報告。交運戦線と関西地方の労働者同志、愛知大学のたたかう学生と全学連・有木委員長が力強く決意表明

ル)。インフラ支援、インド太平洋の安全保障を協議

12・15 イギリスで看護師の労組が初の全国スト。20日には10万人が参加、19%の賃上げを要求

12・16 ロシア軍がウクライナ全土に76発のミサイル攻撃。60発迎撃するも全土で緊急停電

12・19 プーチンがベラルーシ大統領ルカシェンコと会談、合同演習・ロシアへの武器供給の継続を合意

▽中国で新型コロナ感染死者急増、各地で医療崩壊。12月に2・5億人感染とする政府資料流出と香港紙報道(23日)。政府が感染者数発表を中止(25日)

12・20 北朝鮮の労働党副部長・金与正がICBMを通常軌道で発射する用意があると発言

12・21 ゼレンスキーが訪米し上下両院合同会議で演説。会談したバイデンがパトリオット供与を表明

12・23 米下院が国防権限法案を可決・成立。バイデンが23会計年度歳出法案に署名(29日)、軍事費8580億㌦で過去最高、台湾に最高100億㌦の支援。台湾に2億ドルの武器売却を決定(28日)

12・24 ロシア軍がヘルソン市にミサイル攻撃、16人死亡。ゼレンスキーが「クリスマス・テロ」と非難

12・26 中国軍機71機と艦艇7隻が台湾海峡で軍事行動、33機が「中間線」を越える。1月9日には57機

▽朝鮮労働党総書記・金正恩が中央委員会拡大総会(~31日)で戦術核兵器の大量生産方針を示す

12・28 韓国政府が初のインド太平洋戦略を発表

12・30 プーチンと習近平がオンライン会談。習はウクライナ問題の「対話解決」を促す、訪露要請は無視

1・1 ブラジル大統領に左派ルラが就任

12・16 政府が国家安全保障戦略、国家防衛戦略、防衛力整備計画の安保3文書を閣議決定

▽自民・公明が23年度の与党税制改正大綱を決定。所得、法人、たばこ3税で「防衛増税」の「年間1兆円確保」を明記

▽全トヨタ労連が春季交渉で統一要求金額を掲げない方針を固める

12・20 日銀が長期金利の上限設定を0・25%から0・5%に引き上げ

▽政府が治安対策の「総合戦略」を9年ぶりに改定、サイバー攻撃やテロへの対策を強化

12・22 政府のGX実行会議で原発の立て替え、60年超の運転期間延長、GXへの移行債20兆円発行など今後10年間の基本方針を決定

12・23 政府が23年度予算案を閣議決定、過去最大の114兆円。軍事費は6兆7900億円、複数年にわたって使う「防衛力強化資金」の3・4兆円と合わせると計10・2兆円

12・24 外相・林芳正が中央アジア5ヵ国との外相会議開催(東京)、「国際秩序の維持」の声明

12・27 首相・岸田文雄が復興相・秋葉賢也(公職選挙法違反容疑)と総務政務官・杉田水脈(差別発言問題)を更迭

▽岸田が中国人入国者へのコロナ感染水際対策強化を表明

1・5 経産相・西村康稔が訪米し米商務長官レイモンドと会談、先端半導体の技術協力を合意。9日に米エネルギー長官と会談し次世代

＜全国各地で「安保3文書」閣議決定阻止・弾劾の闘争＞

12日 神戸大学・奈良女子大学のたたかう学生が自民党大阪府連前抗議闘争(大阪市)

15日 全学連が首相官邸前で緊急抗議闘争/首都圏のたたかう学生が『安保3文書』閣議決定反対国会前緊急抗議行動」(総がかり行動実行委など主催)に参加したたかう

16日 全学連道共闘と反戦青年委が自民党道連に緊急抗議闘争(札幌市)/福岡中央地区反戦が自民党福岡県連に抗議闘争(福岡市)

17日 わが同盟が総がかり実行委主催の緊急抗議集会で情宣(福岡市)/わが同盟が金沢市中心部で情宣

18日 北海道大学のたたかう学生が「敵基地攻撃能力保有反対集会」(戦争をさせない北海道委員会主催、札幌市)で＜反安保＞を掲げ奮闘。わが同盟が情宣

12・14 沖縄県反戦が辺野古浜現地での「土砂投入反対海上大行動」(ヘリ基地反対協議会よびかけ)に起つ

12・16 福岡中央地区反戦が習政権の人民弾圧弾劾の中国総領事館抗議闘争(福岡市)

12・22 わが同盟が12月13日の教育労働者

1・3 米下院議長選で共和党院内総務マッカーシーが過半数を得られず。投票15回目で選出（7日）
1・4 フィリピン大統領マルコスが訪中し習近平と会談。南シナ海問題で「対話の枠組み」創設を確認
1・8 ブラジルの首都で前大統領ボルソナロ支持者が連邦議会などを襲撃。バイデンが襲撃を非難（9日）
1・10 米・カナダ・メキシコ首脳会談（メキシコ市）。半導体・重要鉱物などの供給網の強化を合意
1・11 露国防省がウクライナ侵略戦争の総司令官に参謀総長ゲラシモフを任命。軍の総力投入のため
▽ゼレンスキーがポーランド・リトアニア両国首脳とリビウで会談。ポーランドがドイツ製戦車レオパルト2の提供を表明。フィンランドも（18日）
1・12 インドが「グローバル・サウスの声サミット」をオンライン開催。参加はベトナム・タイなど125ヵ国
1・14 露軍がウクライナ東部ドニプロの集合住宅を超音速ミサイルKh22で攻撃、47人死亡。ウクライナ軍が「迎撃能力はない」と発表（17日）
▽英首相スナクが主力戦車をウクライナに供与と表明
1・15 台湾与党・民進党主席に副総統・頼清徳を選出
1・16 露ベラルーシ両軍がベラルーシで合同演習開始
▽独国防相ランブレヒトがウクライナへの戦車供与に反対して辞任
1・17 中国国家統計局が61年ぶりに人口減少と発表
1・19 英・ポーランド・バルト3国など11ヵ国がウクライナに戦車供与と発表。バルト3国外相が独にレオパルト2供与の許可を求める（21日）
▽フランスで年金支給開始年齢引き上げに反対し200万人がストとデモ。31日には280万人

原発の開発・建設・輸出について協議
▽岸田が経済3団体の新年祝賀会と「連合」新年交歓会に参加
▽新型コロナ感染死者が1日最多の498人
1・6 11月の実質賃金3・8％減（前年同月比）
1・10 森友事件での籠池夫婦の実刑が確定
1・11 **日米2＋2会合で米が沖縄海兵隊の「海兵沿岸連隊」への改編を、日本が「反撃能力保有」を表明。** 共同文書で「協力を深化」と謳う
▽G7諸国歴訪中の岸田が英で首相スナクと会談し日英両軍の「円滑化協定」に署名。日英伊3国の次世代戦闘機共同開発を合意
1・12 日米の防衛相・国防長官が防衛装備品の共同研究・開発を促進する枠組み創設を合意
▽防衛省が鹿児島県馬毛島で米軍艦載機の離発着訓練などに使用する自衛隊基地建設に着工
1・13 **岸田が安保3文書を手土産に訪米しバイデンと会談、「日米同盟の現代化」の声明**
▽外相・林が米国務長官ブリンケンと宇宙分野での包括的協力を謳う協定に署名
▽東京債券市場で10年債の流通利回りが日銀の設定した0・5％を超える
▽元首相・安倍銃撃事件で奈良地検が山上徹也を5ヵ月半「鑑定留置」の末に起訴
1・16 12月の企業物価指数が前年同月比10・2％上昇、年平均9・7％上昇
1・17 経団連が『経労委報告』を発表
1・18 東京高裁が福島原発事故で強制起訴されていた東電会長・社長ら3人に「無罪」判決

宅への不当捜索を弾劾する記者会見をひらく。マスコミ12社が参加。警察権力による「革マル派の組織犯罪」のでっちあげを弾劾し新たな治安維持法型弾圧に断固として反撃
1・7 琉大学生会と沖国大自治会が辺野古新基地建設反対の「県民大行動」（オール沖縄会議主催）に起つ。600名の労働者・市民とともに米軍キャンプシュワブ・ゲート前でたたかう
1・13 **全国各地で日米首脳会談反対の抗議闘争**
全学連が首相官邸前闘争。「日米グローバル同盟反対・先制攻撃体制構築阻止」を訴えたたかう／神戸大と奈良女子大のたたかう学生が自民党大阪府連・アメリカ総領事館抗議闘争（大阪市）／金沢大学共通教育学生自治会が自民党石川県連抗議闘争（金沢市）／福岡反戦青年委が米領事館抗議闘争（福岡市）／沖縄県学連が米総領事館抗議闘争（浦添市）
1・21 沖縄県学連が「改憲・大軍拡阻止・〈プーチンの戦争〉粉砕」の学生デモ（那覇市）
▽わが同盟が「米海兵隊の矢臼別実弾演習反対 全道総決起集会」（「連合北海道」など主催、釧路市）で情宣。対中

1・20 ウクライナ軍事支援50ヵ国の国防相会合。ドイツがレオパルト2の供与について結論を先送り
1・21 スウェーデンで極右がコーランを焼く反トルコデモ。エルドアンが「スウェーデンのNATO加盟のトルコの批准を期待するな」と警告（23日）
1・23 露外相ラブロフが南アフリカ訪問。露・中・南ア3ヵ国合同軍事演習を2月に実施と表明
▽ルラとアルゼンチン大統領フェルナンデスが会談（ブエノスアイレス）。共通通貨創設で協力と確認
1・24 中南米カリブ海諸国首脳会議。ブラジルが復帰
1・25 **独がレオパルト2を14両ウクライナに供与と発表。他国の供与も承認。**フィンランド、ノルウェー、スペイン、オランダが供与表明。カナダも（26日）
▽米が主力戦車エイブラムス31両の供与を発表
1・26 露軍が北極圏などの基地から戦略爆撃機でウクライナ全土に大規模ミサイル攻撃
▽イスラエル軍がヨルダン川西岸の難民キャンプを急襲、10人殺害。エルサレム郊外でパレスチナ人青年が教会堂シナゴーグで銃乱射、7人死亡（27日）
1・27 米テネシー州で黒人が警官の暴行で死亡した事件の映像が公開され全米に抗議デモが広がる
1・28 イラン中部イスファハンの兵器工場にドローン攻撃。米が「イスラエルの攻撃」と分析（29日）
▽ポルトガル首都で教職員10万人が賃上げ要求のデモ
1・29 独首相ショルツがウクライナに戦闘機は供与しないと表明。ポーランド首相モラウィエツキが自国のF16戦闘機のウクライナ供与の用意があると表明（30日）。バイデンがF16供与はしないと表明（同）

1・19 22年の貿易赤字が過去最高の19・9兆円
1・20 12月の消費者物価指数が4・0％（前年同月比）、41年ぶりの高い伸び率
1・22 防衛省が中国の南西諸島侵攻に備え沖縄沖に補給拠点を新設し整備する工程表を明示
1・23 通常国会開会、岸田が施政方針演説で「安全保障政策の大転換、防衛費を5年間で43兆円確保」などを表明
▽経団連と「連合」がトップ会談。翌日の労使フォーラムで経団連会長・十倉雅和が「労働移動で生産性向上を」などと語る
▽東電が家庭向け電気料金の6月からの値上げを経産省に申請、平均29・31％
1・27 政府が新型コロナを感染症法上の2類から5類に23年5月8日いこう引き下げと決定
▽政府が米・オランダ政府と先端半導体の対中輸出規制強化を合意
▽1月の東京都区部消費者物価指数が4・3％上昇、41年ぶりの高さ
1・28 東京地検特捜部が入札談合の五輪組織委元次長と電通幹部を独禁法違反で捜査方針
1・30 石垣市が海洋保護を名目に尖閣諸島周辺で海洋調査、中国海警局船が接近
▽関西電力高浜原発4号機が緊急自動停止。制御棒の落下が原因と関電が発表（2月15日）
1・31 岸田がNATO事務総長ストルテンベルグと会談、対中・対露の安全保障協力で合意
▽雇用調整助成金の特例制度が終了

戦争遂行体制の構築阻止を訴える
1・23 北大のたたかう学生が「軍事費増額反対集会」（戦争をさせない北海道委員会主催、札幌市）で奮闘。わが同盟が「反安保・改憲阻止」の檄
1・28 全学連が対国会・首相官邸・米大使館闘争。「改憲・大軍拡阻止」「〈プーチンの戦争〉粉砕」の声を轟かせ首都中枢をデモ
▽琉大学生会と沖国大学生自治会が辺野古新基地建設に反対する「沖縄県民集会」（オール沖縄会議主催、那覇市）に結集したたかう。500名の労働者・市民の先頭で国際通りをデモ
1・29 全学連道共闘と反戦青年委が「岸田政権の改憲・大軍拡阻止！プーチン政権のウクライナ侵略弾劾！」を掲げ札幌市街をデモ、自民党県連に怒りの拳

『新世紀』バックナンバー

No.320 2022年9月

全世界でウクライナ反戦の炎を

熱核戦争勃発の危機／安保強化・改憲を打ち砕け／日米首脳会談の意味／海外へのアピール／自称「左翼」の錯乱を弾劾せよ／俗流トロツキスト批判／露共産党批判／「ネオナチ」というデマ／ロシア正教会／クラスター発生の職場

No.321 2022年11月

改憲阻止、ウクライナ反戦に起て

安倍「国葬」を許すな／ウクライナ軍・人民の戦い／労働戦線から改憲阻止を／反戦集会の成功かちとる／国際反戦集会基調報告／海外の左翼からのアピール／半導体戦争／愛大での自治破壊粉砕の闘い／反革命＝北井一味を粉砕せよ

No.322 2023年1月

大軍拡阻止、〈プーチンの戦争〉粉砕

断末魔プーチンのあがき／ウクライナ全土へのミサイル攻撃／ＳＣＯサミット／改憲・大軍拡阻止、ウクライナ反戦を／貧窮強制を許すな／安倍の「国葬」弾劾／プーチンの大ロシア主義／反革命＝北井一味を粉砕せよ（第四～六回）

No.323 2023年3月

戦争の時代を革命の世紀へ

世界大戦の危機を突破せよ／全世界からメッセージ／政治集会特別報告／「安保三文書」弾劾／「リスキリング」／現代世界経済／中共第20回党大会／ウクライナ軍・人民の戦い／「神戸事件」／反革命＝北井一味を粉砕せよ（第七―八回）

新 世 紀　第324号（隔月刊）

日本革命的共産主義者同盟 革命的マルクス主義派 機関誌©

発行日　2023年 4 月 10 日

発行所　解 放 社

〒162-0041 東京都新宿区早稲田鶴巻町 525-3
電話 03-3207-1261　振替 00190-6-742836
URL http://www.jrcl.org/

発売元　有限会社 Ｋ Ｋ 書 房

〒162-0041 東京都新宿区早稲田鶴巻町 525-5-101
電話 03-5292-1210　振替 00180-7-146431
URL http://www.kk-shobo.co.jp/

ＩＳＢＮ 978-4-89989-324-0　C0030